BRIAN LUMLEY · BLUTLUST

In dieser Reihe außerdem lieferbar:

2801 *Das Erwachen*
2802 *Vampirblut*
2803 *Kreaturen der Nacht*
2804 *Untot*
2805 *Totenwache*
2806 *Das Dämonentor*
2807 *Blutlust*

In Vorbereitung:

2808 *Höllenbrut*

Brian Lumley

Blutlust

Necroscope 7

Aus dem Englischen von Hans Gerwien

FESTA

1. Auflage Januar 2002
Originaltitel: *Necroscope 3: The Source*

www.Festa-Verlag.de

Umschlaggestaltung: www.babbarammdass.de
Dieses Werk wurde vermittelt durch die Literarische Agentur
Thomas Schlück GmbH, 30827 Garbsen
Druck und Bindung: Wiener Verlag, A-2325 Himberg

ISBN 3-93822-37-5

ERSTES KAPITEL

Major Chingiz Khuv vom KGB stand seinem Untergebenen, Karl Vyotsky, auf eine Entfernung von nicht einmal drei Metern gegenüber, sah ihn durch einen ganz leichten, fast nicht mehr sichtbaren weißen Schleier direkt vor sich, und dennoch waren sie Welten voneinander entfernt. Khuv konnte durchaus zwei oder drei Schritte vortreten und Vyotsky die Hand geben – *konnte*, doch das wagte er nicht. Denn in seinem gegenwärtigen Zustand mochte es sein, dass Vyotsky ihn einfach festhielt, und während der Major nicht in der Lage war, Vyotsky zu sich herüber zu ziehen, war dieser sehr wohl dazu fähig, Khuv zu sich hinein zu schleifen. Miteinander sprechen konnten sie allerdings, wenn auch recht mühevoll.

»Karl!«, rief Khuv. »Es gibt im Augenblick für Sie keine Möglichkeit, zurückzukommen, und Sie können auch nicht ständig dort drinnen auf den Knien vor mir liegen wie ein bettelndes Kind! Oder sagen wir, Sie können schon, aber es wird Ihnen nicht helfen! Sicher, wir können Sie ernähren, indem wir einfach Lebensmittel zu Ihnen hineinschieben! Da hat Simmons sich geirrt, weil er nicht an diese Möglichkeit gedacht hat. Aber er hatte Recht, als er sagte, Sie würden da drinnen sterben. Das *werden* Sie, Karl! Wie lange das allerdings dauert, hängt davon ab, wann Begegnung Sechs stattfindet. Können Sie mir folgen?«

Khuv wartete auf Vyotskys Antwort. Sich durch das Tor verständigen zu müssen, war eine mühselige Angelegenheit, doch endlich nickte Vyotsky und stand auf. Das allein dauerte allerdings mehr als zwei Minuten, und in der Zwischenzeit verschwand die Gestalt des britischen Agenten ganz, ganz langsam in der Entfernung. Dann bewegten sich Vyotskys Lippen in einer grotesken Zeitlupen-Verzerrung, und schließlich drangen seine Worte dumpf und grollend an Khuvs Ohren: »Waaaas schlllaaaaagen Siiiiiee vooor?«

»Folgendes: Wir rüsten Sie genauso wie Simmons aus, geben

Ihnen so viel Ausrüstung und Nahrungskonzentrate mit wie möglich. Dann haben Sie wenigstens die gleiche Chance wie er.«

Nach einer Weile erscholl die Antwort: »Überhaupt keine Chance, das meinten Sie doch damit?«

»Eine geringe Chance«, beharrte Khuv. »Wenn Sie es nicht versuchen, werden Sie es nie erfahren.« Er rief eine Ordonanz aus der Militäreinheit hinter ihm zu sich und bellte einige scharfe Befehle. Der Mann rannte los. »So, Karl, jetzt hören Sie zu!«, fuhr Khuv fort. »Fällt Ihnen noch irgendetwas ein, abgesehen von Simmons' Ausrüstung, was für Sie nützlich sein könnte?«

Wieder nickte Vyotsky ganz langsam und sagte schließlich: »Ein Motorrad.«

Khuv blieb der Mund offen stehen. Sie hatten doch keine Ahnung, welches Terrain dort vorherrschte! So äußerte er seine Bedenken und erhielt zur Antwort: »Wenn ich damit nicht weiterfahren kann, lasse ich es eben liegen! Ist das denn verdammt noch mal zu viel verlangt? Wenn ich einen Hubschrauber fliegen könnte, würde ich stattdessen um einen bitten!«

Khuv gab weitere Befehle aus. Doch all das kostete Zeit, und Simmons war mittlerweile nur noch ein winziger Punkt am weißen Horizont, der sich wie eine Ameise auf dem Kamm einer Sanddüne weiter entfernte.

Die Ausrüstungsgegenstände wurden eins nach dem anderen herbefördert, und dazu ein Anhänger, um alles transportieren zu können. Der Anhänger wurde beladen und in die Sphäre geschoben, wo Vyotsky scheinbar endlose Reisevorbereitungen traf. Er arbeitete so schnell er konnte, doch für Khuv und die anderen auf seiner Seite war es, als beobachteten sie eine Schnecke. Es war allerdings paradox, denn für Vyotsky war es genauso schlimm! Er hatte das Gefühl, *er* sei derjenige, der sich rasch bewegte, während die draußen auf ihn wirkten, als seien sie Fliegen, die auf einem Fliegenfänger klebten. Während aus ihrer Sicht sogar die Schweißtropfen, die von Vyotskys Stirn rannen, mehrere Sekunden benötigten, bis sie auf dem Boden aufschlugen.

Zum Schluss kam das Motorrad an: eine schwere Militärmaschine in gutem Zustand, mit Benzin für etwa vierhundert Kilometer im Tank. Helfer stellten sie auf einen zweiten Anhänger und schoben sie ebenfalls durch. Auf der anderen Seite begann Vyotsky, nachdem er die Behälter zu beiden Seiten voll gepackt hatte, unglaublich langsam die Maschine zu besteigen und den Motor mit dem Kickstarter anzuwerfen. Was immer mit dem Zeitablauf da drinnen nicht stimmte, jedenfalls war alles andere innerhalb des physischen Spektrums so wie immer. Der Motor erwachte keuchend zum Leben, und die Maschine dröhnte, als hämmere jemand unaufhörlich auf einen Baumstamm. Jeder Zylinder schien dabei seine eigene Tonhöhe zu haben. Vyotsky hob die Füße vom Boden, und langsam, ach, so langsam, und doch immer noch schneller als Simmons zu Fuß, wurden Vyotsky und das Motorrad in der weißen Entfernung kleiner und verschwanden schließlich. Alles, was von ihm blieb, waren die beiden leeren Anhänger.

Nachdem Vyotsky weg war, beobachtete Khuv weiterhin die Sphäre, bis schließlich seine Augen brannten. Dann wandte er sich ab, schritt über den Laufsteg zur Saturnring-Plattform und stieg die Holztreppe zum Schacht hoch.

Auf einem Absatz gleich an der Schachtöffnung wartete Viktor Luchov auf ihn.

Khuv blieb stehen und sagte: »Direktor Luchov, wie ich bemerkte, haben Sie sich von diesem Experiment distanziert. Sie glänzten jedenfalls durch Abwesenheit!« Sein Tonfall war neutral oder sogar ein wenig beleidigt.

»Wie ich mich auch in Zukunft von solchen ... *Entgleisungen* distanzieren werde!«, erwiderte Luchov. »*Sie* sind hier der Vertreter des KGB, und ich bin Wissenschaftler. Sie bezeichnen es als Experiment, während ich es für eine ... *Exekution* halte! Sogar zwei Exekutionen, wie es scheint! Ich habe geglaubt, alles sei schon vorüber, sonst wäre ich hier nicht aufgetaucht, doch unglücklicherweise musste ich mit ansehen, wie dieser Schläger Vyotsky drüben abfuhr. Ein brutaler Kerl, und dennoch bedaure ich ihn nun! Und wie werden Sie das Ihren Vorgesetzten in Moskau erklären?«

Khuvs Nasenflügel bebten ein wenig und er erbleichte leicht, doch seine Stimme klang beherrscht, als er antwortete: »Wie ich das halte, ist allein meine Sache und geht Sie nichts an, Direktor! Sie haben ja Recht: Sie sind Wissenschaftler, und ich gehöre dem KGB an. Aber wie Sie vielleicht bemerken, spreche ich das Wort ›Wissenschaftler‹ nicht aus, als ekle ich mich davor. Ich würde an Ihrer Stelle etwas neutraler mit der Bezeichnung ›KGB‹ umgehen! Macht mich die Tatsache, dass ich gewisse undankbare Aufgaben besser als Sie erfülle, deshalb weniger wichtig? Ganz im Gegenteil, würde ich sagen! Und können Sie mir auf Ehre und Gewissen versichern, dass Sie als Wissenschaftler nicht fasziniert sind von den Möglichkeiten, die uns hier geboten werden?«

»Sie erfüllen diese ›Aufgaben‹ besser als ich, denn *ich* würde so etwas niemals machen!« Nun schrie Luchov fast. »Mein Gott, ich kann ... ich ...!«

»Direktor?« Khuv zog missbilligend die Augenbrauen hoch, und sein Mund war eine straffe, schmale und beinahe hässliche Linie.

»Manche Menschen lernen es nie!«, tobte Luchov. »Mann, haben Sie die Nürnberger Prozesse vergessen? Wissen Sie nicht, dass wir immer noch Menschen vor Gericht stellen, weil sie ...« Er bemerkte Khuvs Blick und schwieg abrupt.

»Sie vergleichen mich mit Nazi-Kriegsverbrechern?« Khuv war totenblass geworden.

»Dieser Mann«, und damit deutete Luchov mit einem zitternden Zeigefinger auf die Sphäre, »war einer von *uns*!«

»Ja, war er!«, fauchte Khuv aufgebracht. »Außerdem war er ein brutaler Psychopath, hinterhältig, aufsässig und so gefährlich, dass er schon zur Belastung und Bedrohung wurde! Aber haben Sie sich nie gefragt, warum ich ihn nicht in seine Schranken gewiesen habe? Sie glauben, Sie wissen alles, nicht wahr, Direktor? Aber das ist leider nicht der Fall. Wissen Sie beispielsweise, für wen Vyotsky arbeitete, bevor er zu mir kam? Er war Yuri Andropovs persönlicher Leibwächter – und wir wissen immer noch nicht, wie Andropov wirklich starb! Tatsache ist nur, dass er und Vyotsky nicht miteinander auskamen und Vyotsky deshalb versetzt werden sollte. Oh ja, das können Sie mir glauben: Karl Vyotsky war daran beteiligt! Und nun sage ich Ihnen, warum er ausgerechnet hierher geschickt wurde ...«

»Ich ... ich glaube nicht, dass es notwendig sein wird«, stammelte Luchov und hielt sich dabei krampfhaft am Geländer fest. Sein Gesicht wirkte blutleer und genauso bleich wie das Khuvs. »Ich glaube, ich weiß es bereits.«

Khuv senkte seine Stimme. »Ich werde es Ihnen trotzdem sagen«, raunte er. »Auch wenn dieser Zufall heute Abend sich nicht ereignet hätte, wäre Karl Vyotsky unser nächster ›Freiwilliger‹ geworden! Also vergießen Sie seinetwegen keine Tränen, Direktor – er hatte ohnehin kaum noch einen Monat!«

Luchov starrte Khuv entgeistert nach, als dieser sich abwandte und die Stufen den Schacht hinauf erklomm. »Und er hatte keine Ahnung davon?«, rief er dem anderen nach.

»Selbstverständlich nicht!«, antwortete Khuv, ohne einen Blick zurückzuwerfen. »Hätten Sie ihm das an meiner Stelle etwa gesagt?«

Jazz stapfte voran. Es hatte keinen Sinn, sich zu beeilen und unnötig Energie zu verbrauchen, und ohnehin konnte sich nichts Bedrohliches an ihn anschleichen. Jedenfalls nicht hier. Und er musste ganz gewiss mit seinen Kräften haushalten. Er hatte keine Ahnung, wie weit er noch wandern musste: einen Kilometer, oder zehn, oder hundert ... Er fühlte sich wie ein Mann, der einen riesigen Salzsee überquert und der durch die Sonne bereits erblindet war. Ja, genauso erschien es ihm. Er marschierte endlos und blind unter einer flammenden Sonne dahin, die jedoch keine Hitze ausströmte. Nur diese Lichtflut. Natürlich schwitzte er, aber nur der Anstrengung wegen und nicht auf Grund einer externen Wärmequelle. In diesem weißen Tunnel zwischen den Welten war es weder heiß noch kalt. Die Temperatur schien konstant zu bleiben und stellte kein Problem dar. Man konnte hier durchaus überleben, wenn es auch nicht möglich war, hier zu *leben!* Niemand war dazu in der Lage – nicht an einem Ort, wo man selbst die einzige Realität darstellte, und wo alles andere ... weiß war!

Zweimal hatte er bereits einen Schluck aus der Feldflasche genommen, um verlorene Körperflüssigkeit zu ersetzen, und beide Male hatte er dabei gedacht: *Kann das alles sein – nur diese Leere? Ein Weg ins Nirgendwo?*

Aber andererseits: Woher waren die Fledermaus und der Wolf gekommen, und diese formlosen Kreaturen, und auch der Krieger? Nein, irgendwohin musste sein Weg schon führen.

Er war kurz stehen geblieben, um das verrostete Magazin aus seiner MP zu nehmen, es wegzuwerfen und ein neues aus seinem Gepäck einrasten zu lassen. Sollte er die Waffe benützen müssen, wäre es nicht gerade vorteilhaft, wenn das Magazin klemmte und eine Ladehemmung hervorrief.

Als er gerade mit dem Nachladen fertig war, erfuhr er etwas Neues über diese fremdartige Welt hinter dem Tor. Er zog die Riemen seines Rucksacks straff, blickte auf – und entdeckte, dass er nicht in der Lage war, eine Richtung von der anderen zu unterscheiden. Sein sonst so untrüglicher Sinn für Richtungen und topologische Einzelheiten versagte vollständig. Er trug zwar einen Kompass am Handgelenk, doch den hätte er gleich bei seinem Eintritt in die Sphäre konsultieren müssen. Nun war es zu spät. Trotzdem blickte er zur Sicherheit hin, und bemerkte, dass die Nadel sich langsam und unsicher drehte und schließlich einen ganzen Kreis beschrieb; zumindest hielt er es für einen 360-Grad-Kreis. Doch nicht einmal da konnte er sicher sein.

Es war überall das gleiche Bild, wenn er sich umsah: Soweit das Auge blicken konnte, erstreckte sich eine blendende Weiße. Selbst Boden und Himmel waren weiß, so dass man sie kaum unterscheiden mochte, und es gab keinen Horizont, nur ihn selbst. Ihn, und die Schwerkraft. Zum Glück herrschte hier eine

Gravitation, denn ohne das Gefühl, sicheren Boden unter sich zu haben, wäre er mit Bestimmtheit nach einer Weile dem Wahnsinn verfallen. So aber kannte er wenigstens *eine* Richtung: die nach oben!

Dann hatte er sich nach hinten umgeblickt. War er wirklich von dort gekommen? Oder von dort drüben? Schwer zu sagen. Woher wusste er, dass er nach wie vor in die richtigen Richtung ging? Zum Teufel – welche Bedeutung hatte die ›Richtung‹ überhaupt in dieser gottverlassenen Welt?

Als er dann versucht hatte, abzubiegen, hatte er jedoch einen Widerstand verspürt, eine unsichtbare Schaumstoffwand, die immer gerade stark genug schien, um die Kraft zu kompensieren, mit der er dagegen drückte. Nach links und rechts zu gehen war möglich, aber mühsam. Im Grunde gab es nur eine Richtung, in die er sich weiterbewegen konnte, und die musste dann ja wohl die Richtige sein. Er hatte das zuvor nicht bemerkt, da er sich ganz automatisch und ohne zu denken den Weg des geringsten Widerstands gesucht hatte.

Danach war er weiter gestapft, hatte weiter geschwitzt – bis jetzt, und nun war es an der Zeit für einen weiteren Schluck aus der Feldflasche. Während er die Flasche hob und kühles Wasser durch seine Kehle rann, warf er wieder einen Blick voraus, und dabei bemerkte Jazz plötzlich, dass nicht mehr alles nur rein weiß war. Das kam so überraschend, dass er sich beinahe verschluckt hätte. Was zum Teufel ...? Dort in der Entfernung ... Berge? Die Umrisse von Felsgebilden? Ein dunkelblauer Himmel und ... Sterne? Es war, als blicke er durch ein Fernrohr, oder aus einem Tunnel heraus ... an einem diesigen Morgen. Oder als betrachte er eine Szene, die man in blassen Farben auf weiße Seide gemalt hatte. Doch wie weit war es bis dorthin?

Nun schritt Jazz eifriger aus, aber ihm war auch ein wenig bang zumute. Er näherte sich dieser Landschaft, die deutlicher hervortrat, als die Sterne erloschen und schwache Sonnenstrahlen rechts *durch* die Berge auf diesem Bild zu dringen schienen. Und dann vernahm Jazz das Geräusch.

Zuerst glaubte er, es habe mit der Szenerie vor ihm zu tun, doch dann erkannte er, dass es von hinten kam! Und sehr bald schon wurde ihm klar, was dieses Geräusch verursachte: ein Motorrad! So drehte er sich um und blickte zurück.

Karl Vyotsky raste heran, den Riemen seiner MP über die rechte Schulter geschlungen, und die Waffe baumelte mit dem Lauf nach vorn unter seinem Arm. Die ferne Landschaft, die Jazz erblickt hatte, konnte er noch nicht sehen, aber er sah Jazz sehr wohl. Der kräftige Russe knirschte mit den Zähnen und verzog das Gesicht zu einem grimmigen Lächeln. Er lenkte das Motorrad mit der linken Hand und den Knien, während er den Schaft seiner Waffe mit der Rechten packte. Der Zeigefinger lag am Sicherungshebel. Er drehte auf und spürte, wie die Maschine vorwärts schoss. »Engländer«, grollte er in sich hinein, »deine Zeit ist um. Mach dein Testament!«

Einen Augenblick lang war Jazz wie betäubt. Ein Motorrad! Und er lief sich hier die Seele aus dem Leib! Das Problem war jetzt, wie er Vyotskys Vorteil in einen Nachteil verwandeln konnte. Auf seinem langen Marsch hatte sich Jazz in Gedanken ausführlich mit den eigenartigen Naturgesetzen dieser Torwelt beschäftigt. Und deshalb glaubte er nun auch, eine Lösung für sein Problem zu kennen. »Okay, Ivan«, knurrte er leise. »Wir wollen mal sehen, ob du wirklich so clever bist, wie du glaubst.«

Vyotsky kam näher, drehte dabei weiter auf, bis der Tacho mehr als 90 km/h anzeigte und die Maschine unter ihm stark vibrierte. Die Fahrt auf dem ebenen Boden war sehr ruhig, doch trotzdem würde es schwierig werden, mit der MP sicher zu zielen. Er würde volles Risiko gehen müssen – drauf oder vorbei. Ihm stand allerdings der Überraschungseffekt zur Seite. Was mochte der Engländer jetzt empfinden, da er mit der schweren Maschine auf ihn zu raste?

Er ist kaum noch einen Kilometer entfernt, dachte Jazz in diesem Augenblick. *Noch dreißig Sekunden.* Er ließ sich auf ein Knie nieder, drehte seinen Körper zur Seite, um weniger Angriffsfläche zu bieten und zielte mit seiner Waffe in Vyotskys Richtung.

Nicht, dass er vorgehabt hätte, auf ihn zu schießen – er wollte ihn nur ein wenig nervös machen.

Noch etwa vierhundert Meter, und Vyotskys Miene war von Hass verzerrt. Doch ... mit einem Mal war sein Ziel kleiner geworden, denn es hatte sich auf ein Knie niedergelassen. Und gleichzeitig erspähte der Russe die Szenerie auf der anderen Seite der Torwelt. Einen Augenblick lang brachte ihn das aus dem Gleichgewicht, doch dann konzentrierte er sich wieder ganz auf seine Aufgabe, den verdammten britischen Bastard zu jagen und zu töten. Er bewegte seine Knie leicht, verlagerte sein Gewicht ein wenig, so dass er nun sanfte Schlangenlinien fuhr, und gleichzeitig begann er, Einzelschüsse in Richtung seines Gegners abzufeuern.

Hundertfünfzig Meter noch, und Jazz eröffnete immer noch nicht das Feuer. Er hatte noch nicht einmal den Sicherungshebel umgelegt. Er dachte auch nicht daran, auf den anderen anzulegen. Es schien offensichtlich, dass der verrückte Russe vorhatte, ihn zu überfahren. Vyotsky rechnete damit, dass Jazz die Nerven verlieren und wegrennen werde, aus dem Weg der schweren Maschine. Doch Jazz hatte etwas ganz anderes vor. Endlich ließ er den Sicherungsbügel zurückschnappen, legte an, und ... wartete. Denn falls er Recht hatte, war die ganze Schießerei ohnehin nutzlos.

Fünfzig Meter, und Vyotsky hatte auf Automatik gestellt und schoss nun einen durchgehenden Strom von Blei ab, der um Jazz herum pfiff und heulte – unangenehm nahe. Erst im letztmöglichen Moment warf er sich zur Seite. Vyotskys Maschine brauste an ihm vorbei. Der Russe zog sie in einem engen Wendemanöver herum – *und plötzlich stand das Motorrad Kopf und schleuderte ihn aus dem Sattel!* Dann flogen Maschine und Fahrer in verschiedene Richtungen davon und überschlugen sich.

Jazz schritt vorsichtig auf Vyotsky und damit auch auf die Szenerie auf der anderen Seite der Torwelt zu.

Als Vyotskys Überschlagen und Rutschen und Taumeln beendet war, fand er sich erstaunlicherweise fast völlig unverletzt.

Der Boden hier unterschied sich offensichtlich von dem der heimatlichen Erde. Er wies nur ein paar Schrammen auf, und ein Ärmel seines Kampfanzugs war am Ellbogen aufgerissen. Das war alles. Er rappelte sich etwas zittrig hoch und starrte ungläubig den Engländer an, der sich etwa fünfzehn Schritt entfernt befand und langsam auf ihn zu kam.

»Hallo Ivan!«, rief Jazz. »Wie ich sehe, bist du etwas bequemer als ich hierher gelangt.«

Vyotsky packte seine Waffe, überprüfte, ob sie unbeschädigt sei, und zielte damit auf seinen sich nähernden Gegner. Warum grinste dieser dumme Bastard derartig? Wegen des Unfalls? Hatte er sich darüber amüsiert? Ein Motorradreifen musste geplatzt sein, oder irgendetwas in der Art, aber Simmons hatte es wohl schwerer erwischt. Er musste den Verstand verloren haben. Er machte nicht einmal Anstalten, sich zu verteidigen! Er trug die MP locker unter dem Arm und schlenderte gelassen heran.

»Engländer, du bist tot!«, sagte Vyotsky. Er senkte die Mündung der MP ein wenig, zielte nun auf Hüften und Bauch seines Gegners – und zog ab. Die Waffe war auf Automatik geschaltet. Drei Schuss knatterten trocken heraus, bevor Yyotskys Finger vom Abzug gerissen wurde, als die MP gegen seinen Brustkorb knallte und ihn rückwärts zu Boden schleuderte. Der Russe hatte das Gefühl, alle seine Rippen seien gebrochen, und bestimmt waren auch mindestens eine oder zwei eingedrückt.

Er lag zusammengekrümmt auf dem Boden, knirschte mit den Zähnen und stöhnte laut. Mit schmerzverzerrtem Gesicht blickte er zu Jazz auf. Zwischen ihnen lagen drei Geschosse auf dem Boden! Die MP hatte sie abgefeuert, aber sie hatten lediglich den Lauf verlassen und nicht mehr. Das Resultat waren jedoch drei mächtige, ganz schnell aufeinander folgende Rückschläge gewesen, die selbst der massige Körper des Russen nicht so einfach verkraften konnte.

Vyotsky unternahm den Versuch, nach der qualmenden Waffe zu greifen, die ein Stück entfernt lag, doch das war in Richtung auf Jazz zu, also gerade in der falschen Richtung. So sehr er sich auch bemühte, es gelang ihm nicht, die Waffe zu erreichen. Sie lag keinen halben Meter von ihm entfernt, aber unter diesen Verhältnissen hätte sie auch einen Kilometer weiter liegen können, oder auf der heimatlichen Erde. Auch das Motorrad lag in der falschen Richtung!

Jazz trat an die Maschine heran, wuchtete sie hoch, stellte sich breitbeinig über das Vorderrad und drehte den Lenker in die richtige Position zurück. Vyotskys Stöhnen beachtete er nicht. Dann rollte er das Motorrad vor und hob die MP des Russen auf. Und nun erst sprach er seinen Kontrahenten an: »Schall und Licht sind die einzigen Dinge, die hier in beiden Richtungen funktionieren«, sagte er. »Wir hören uns gegenseitig, wir können miteinander sprechen, und obwohl du dich von mir aus gesehen in der anderen Richtung auf das Ende der Torwelt zu befindest, kommt der Schall deiner Stimme zu mir zurück. Genau wie dein Anblick, denn ich kann dich ja sehen. Aber während du dich in dieser Richtung zu mir befindest, kann nichts Festes von dir zu mir gelangen! Mit vertauschten Positionen wäre ich mittlerweile tot, aber so ganz gewiss nicht. Du hättest mich auf keinerlei Art und Weise auch nur berühren können, Ivan, weder mit Kugeln, noch mit Steinen, Stöcken oder was auch immer. Was diese drei Geschosse betrifft ...«, bei diesen Worten kickte er die Kugeln zur Seite, »... so haben *sie* deine Maschinenpistole abgeschossen. Umkehreffekt! Wärst du nicht so von Hass besessen gewesen, hättest du selbst darauf kommen können.«

Langsam dämmerte es Vyotsky. Er zog eine finstere Miene und nickte. Obwohl er sich noch die Brust hielt, richtete er sich mühevoll auf. »Also, dann mach schon Schluss!«, ächzte er. »Worauf wartest du noch?«

Jazz sah ihn an und verzog verächtlich das Gesicht. »Mein Gott, was für ein Wichser du doch bist! Ist dir noch nicht der Gedanke gekommen, dass wir vielleicht die einzigen Menschen auf dieser Seite der Erde sind? Du und ich? Nicht, dass ich unbedingt auf Männer stehe, aber ich will doch nicht die Hälfte der menschlichen Bevölkerung dieser Welt umbringen, nur weil es Spaß macht! Weißt du, beim letzten Mal, als das geschah, handelte es sich um Kain und Abel!«

Vyotsky konnte ihm offensichtlich nicht ganz folgen. Der logische Sprung war wohl zu viel für ihn. »Was willst du eigentlich?«, fragte er.

»Ich will damit sagen, dass ich dir wider alle Logik das Leben schenke«, antwortete Jazz. »Ich bin kein mörderischer Verrückter, so wie du anscheinend. Gestern noch, in meiner Zelle – hätte ich dich da in dieser Lage gehabt, wäre das vielleicht anders gewesen. Und du selbst hättest mich dazu getrieben! Aber ich werde dich, verdammt noch Mal, hier und heute nicht umbringen!«

Vyotsky versuchte ein höhnisches Grinsen, das aber nur zu einem schmerzlichen Zusammenzucken führte. »Du feiger Hund ...« Er riss sich zusammen und kam auf die Beine.

Jazz senkte die Mündung seiner MP und jagte Vyotsky einen Schuss direkt vor die Füße. Er kreischte als Querschläger davon. »Noch so eine Bemerkung, und du bereust es doch noch!« Er setzte sich auf das Motorrad und trat den Starter durch.

»Willst du mich hier ohne Waffe zurücklassen?«, rief ein mit einem Mal nervöser Vyotsky. »Dann kannst du mich ja gleich umbringen!«

»Du wirst deine Knarre auf der anderen Seite des Tors vorfinden«, erklärte Jazz ihm. »Aber denke daran: Solltest du mir je wieder in die Quere kommen, wird der Ausgang ein anderer sein! Ich habe keine Ahnung, wie groß die Welt dort vor uns ist, aber sie dürfte auf jeden Fall groß genug für uns beide sein. Du hast die Wahl. Und das wäre alles, Genosse. Ich hoffe, dich nicht mehr sehen zu müssen.«

Er legte den Gang ein und rollte an Vyotsky vorüber, fuhr ein wenig schneller und blickte schließlich einmal kurz zurück. Der große Russe sah ihm nach. Sein Gesichtsausdruck war schwer zu deuten. Jazz seufzte, schaltete weiter hoch und fuhr auf die sonnenbestrahlte Szenerie vor ihm zu.

Doch eine Stimme in seinem Hinterkopf sagte ihm, er habe einen großen Fehler begangen ...

Ein weiterer Fehler war, dass er nicht erkannte, wo die Torwelt zu Ende war und die seltsame Welt dahinter begann!

Jazz war nur drei oder vier Minuten lang gefahren und hatte die Geschwindigkeit etwa bei dreißig, vierzig Stundenkilometern gehalten, als er mit einem Mal ohne jede Vorwarnung die Außenhaut der Kugel durchbrach. Denn auch auf dieser Seite war es eine Sphäre, eine Kugel, wie ihm klar wurde, als er plötzlich in der Luft hing. Das Problem dabei war, dass sich hier die Außenwand direkt in einem Krater befand, dessen Rand das ihn umgebende Terrain um etwa einen Meter überragte.

Das Motorrad fiel und Jazz ebenfalls. Er brachte es gerade noch fertig, sich von der überschlagenden Maschine abzustoßen, bevor beide schwer auf hartem Erdboden und verstreuten Steinbrocken aufschlugen. Jazz lag einen Moment lang nach Luft schnappend da und wartete darauf, dass die Landschaft aufhörte, sich um ihn zu drehen. Dann setzte er sich auf und sah sich um. Und nun wurde ihm klar, welches Glück er gehabt hatte.

Die blendend weiße Sphäre maß vielleicht zehn Meter im Durchmesser, und um sie herum klafften im Umkreis von etwa zwanzig Metern überall Magmasse-Wurmlöcher. Jazz war gerade zwischen zweien dieser Löcher aufgekommen, und ihm war klar, dass nur reines Glück verhindert hatte, dass er kopfüber in einem der Löcher gelandet war. Ihre Wände waren glatt wie Glas, ihre Tiefe konnte er nicht abschätzen, wohl aber, dass es ihm verteufelt schwer gefallen wäre, dort wieder herauszuklettern.

Jazz blickte die Sphäre an, wandte sich jedoch schnell wieder geblendet ab. Sie wirkte auf ihn wie ein gigantischer, hell erleuchteter Golfball, den man in nassem Gips gewälzt und zum Trocknen hingelegt hatte. »Wer zum Teufel hat ihn hierher geschlagen?«, knurrte er in sich hinein. »Und warum hat er nicht ›aufpassen‹ gerufen?«

Er stand auf und sah erst einmal nach, ob er Verletzungen aufwies. Aber mehr als ein paar Prellungen und Aufschürfungen hatte er nicht abbekommen. Trotz des heftigen Impulses, einfach stehen zu bleiben und mit offenem Mund die eigenartige Welt zu betrachten, in die er geraten war, ging er zum Motorrad und untersuchte dieses auf Schäden. Die Gabel am Vorderrad wies einen gewaltigen Achter auf, und das Rad war total eingeklemmt. Mit einem ordentlichen Schraubenschlüssel hätte er das Vorderrad schon abbekommen und anschließend vielleicht mit einigem Kraftaufwand die Gabel zurechtbiegen können, aber ... er hatte keinen Schraubenschlüssel.

Wie stand es überhaupt mit Werkzeug?

Er löste die Klemmen am Fahrersitz und klappte ihn hoch. Das Werkzeugfach war leer! Nun war die Maschine dazu verdammt, hier liegen zu bleiben, bis sie verrostet war. Er war also wieder auf seine Beine angewiesen.

Natürlich dachte Jazz auch an Karl Vyotsky. Der Russe befand sich etwa zwei oder drei Kilometer hinter ihm. Vierzig Minuten ungefähr, selbst mit Sturmgepäck auf dem Rücken. Das Letzte, was Jazz gebrauchen konnte, war, sich noch hier zu befinden, wenn Vyotsky ankam. Aber etwas musste er noch erledigen, bevor er aufbrach.

Er hatte ein kleines Walkie-Talkie dabei, weil Khuv darauf bestanden hatte, dass er es einsteckte. Jetzt schaltete er es ein und sprach in das Mikrofon: »Genosse Bastard Major Khuv? Hier ist Simmons. Ich bin auf der anderen Seite, und ich werde Ihnen garantiert nicht erzählen, wie ich durchkam und wie es hier aussieht! Gefällt Ihnen das?«

Keine Antwort, noch nicht einmal statisches Prasseln. Nur ein ganz entferntes Zischen und Knacken. Jedenfalls nichts, was auch nur entfernt eine Antwort andeutete. Jazz hatte auch nichts weiter erwartet. Wenn die anderen nicht durchgekommen waren, warum sollte es ihm anders ergehen?

Und dennoch: »Hallo, Simmons hier!«, versuchte er es erneut. »Irgendjemand dran?« Noch immer nichts. Das Gerät, das freilich nur ein halbes Kilo wog, war nun toter, nutzloser Ballast.

»Wichser«, sagte er ins Mikrofon, und dann warf er das Walkie-Talkie in eines der Löcher, wo es augenblicklich außer Sicht fiel.

Und nun war es an der Zeit, tief durchzuatmen und sich einmal genau anzusehen, wo er eigentlich gelandet war.

Jazz war froh, dass er alles in der richtigen Reihenfolge angegangen war; das Wichtigste zuerst. Es wäre nur zu verständlich gewesen, hätte er eine ganze Weile hier gestanden und mit großen Augen die Welt jenseits des Tors von Perchorsk betrachtet. Die Landschaft kam ihm einerseits vertraut und doch wiederum fremdartig und Furcht einflößend vor. Sie war einfach fantastisch! Das Auge wurde durch Kontraste verwirrt, die alles wie ein surrealistisches Gemälde erscheinen ließen, obwohl sie nur zu real waren.

Zuerst beschäftigte Jazz sich mit den vertrauten Dingen: den Bergen, den Bäumen, dem Pass, der wie eine Zahnlücke in dem bewaldeten Bergkamm vor ihm erschien. Sein Blick wanderte von Schutthalden durch den dichten Nadelwald hoch zu hageren, zerklüfteten Steilwänden, die sich fast senkrecht nach oben zogen. Von diesem grandiosen Anblick angezogen, schritt Jazz etwa hundert Meter weiter von der Sphäre weg, blieb dann stehen und beschattete seine Augen, da selbst hier das Strahlen der Torwelt noch die Augen zu blenden vermochte. Wieder blickte er die hoch aufragende Bergkette an.

Selbst wenn er nicht gewusst hätte, dass er sich auf einer fremden Welt befand, hätte er erkannt: Dies waren keine irdischen Berge. Er war auf den Hängen der großen Skigebiete zu Hause gewesen, und diese Berge waren einfach anders. Sie schienen nicht aus einem geologischen Aufbäumen der Erdkruste erwachsen zu sein, sondern viel mehr zu diesen Formen und Gestalten *verwittert*! Sicher war so etwas auf Jazz' eigener Welt keineswegs selten, jedoch hatte er sich das niemals in einem solchen Ausmaß vorgestellt. Sogar für eine total fremde Natur schien das ein unglaubliches Werk: eine mächtige, den ganzen Planeten umspannende Bergkette, die aus dem ursprünglichen Felsgestein durch Verwitterung in diese Formen gezwungen worden war! So hoch, so zerklüftet, so steil und ungeheuer beeindruckend! Hätte man die Bäume, die unterhalb der Waldgrenze reichlich wuchsen, noch weggelassen, dann hätten dies sehr wohl die Bergketten des Mondes sein können!

Die riesige Bergkette erstreckte sich, wie Jazz nach einem Blick auf seinen nun anscheinend wieder funktionierenden Kompass feststellte, von Osten nach Westen, und in beiden Richtungen vermochte er kein Ende zu entdecken. Die Gipfel zogen sich bis zum Horizont hin und verschmolzen mit ihm. In purpurner, dann indigofarbener, samtiger Ferne verschwanden sie über den Rand der Welt hinweg. Und von dem vor ihm liegenden Pass einmal abgesehen, wo vor Äonen die Felsen aufgebrochen waren, erschien die Reihe der Berge lückenlos.

Nun, da er die leuchtende Sphäre weit genug hinter sich gelassen hatte, blickte Jazz die ›Sonne‹ an, oder zumindest das, was er davon erkennen konnte. Die blassen Sonnenstrahlen, die er beim Austritt aus der Torwelt gesehen hatte, als sie von der rechten Seite her die Landschaft erleuchteten, hatten lediglich vom Rand der fernen Sonne hergerührt und waren von den Felsen noch gefiltert worden. Es war wirklich nur der Rand der Sonne gewesen, wie Jazz nun klar wurde.

Dort, am anderen Ende des Passes, erhob sich eine rot leuchtende Brandblase am Himmel – vielleicht senkte sie sich auch; Jazz konnte das nicht unterscheiden, da sich in der kurzen Zeit seines Aufenthalts hier die Größe des Flecks nicht verändert hatte – und sandte ihre schwachen Strahlen durch die Lücke in der Bergkette. Aber immerhin war es die Sonne – oder *eine* Sonne – und so schwach ihr Licht auch war, wärmte sie doch Jazz' Hände und Gesicht. Er beschirmte seine staunenden Augen. Was auf der anderen Seite der Berge lag, konnte er jetzt noch nicht ermessen, doch auf dieser Seite ...

Im Westen war nur der bewaldete Hang der Berge sichtbar, und an ihrem Fuß erstreckte sich eine Ebene nach Norden. Sie schimmerte blau in der Ferne, und endete schließlich in der dunkleren, konturlosen Bläue am Horizont. Direkt im Norden, jenseits der leuchtenden Sphäre, konnte Jazz nur Dunkelheit erkennen, in der Sterne – zu unbekannten Bildern angeordnet – wie Diamanten auf dem schwarzen Samttuch des Himmels funkelten. Unter diesen Sternen, von ihnen und den fernen Sonnenstrahlen schwach beleuchtet, schimmerte matt die Oberfläche eines Meeres oder eines ausgedehnten Gletscherfeldes.

Vom Norden her kam ein kalter Wind auf, der sich langsam durch Jazz' Kleidung und bis auf seine Knochen durchfraß. Er zitterte, und ihm war bewusst, dass dieser ›Norden‹ eine ziemlich unwirtliche Gegend sein musste. Instinktiv begann er, die Stein- und Felsbrocken übersäte Ebene auf dem Weg zu jenem Bergpass zu durchschreiten.

Aber ... es war eigenartig. Wenn sich die Bergkette zwischen Osten und Westen erstreckte und die – Eisländer? – im Norden lagen, befand sich die Sonne genau im Süden. Und dennoch hatte sich diese rötliche Quelle von Licht und Wärme kein bisschen weiterbewegt! Eine Sonne, die offensichtlich völlig unbeweglich im Süden stand? Jazz schüttelte verblüfft den Kopf.

Und nun endlich nahm er sich die Zeit, seinen Blick nach Osten zu richten, wo alles, was ihm real oder einigermaßen vertraut erschien, ein abruptes Ende nahm und das Irreale oder auch Surreale vorherrschte. Denn wenn er schon gestaunt hatte, welch gewaltigen seismischen Kräfte und welch urtümliche Winde und Regenfälle diese verwitterten Berge geformt hatten, was sollte er dann erst von jenen schlanken, teilweise in Nebel gehüllten Felstürmen im Osten halten: fantastisch geformte, Kilometer hohe Wolkenhorste, die wie fremdartige Minarette aus der felsübersäten Ebene am Fuß des Gebirges aufragten? Seit er hier angekommen war, hatte Jazz diese Formationen gespürt, war sich ihrer bewusst gewesen, und doch hatte er den Blick von ihnen abgewandt. Vielleicht war das auch ein Zeichen dafür, dass seine auserwählte Marschrichtung – auf den Pass zu und darüber hinweg – die Richtige war.

Möglich, dass diese Felssäulen aus den Bergen herausgewaschen worden waren, so dass sie nun wie bizarre Wachtposten vor dem Gebirge standen, das sich von ihnen zurückgezogen hatte. Sicherlich waren sie von der Natur erschaffen worden, denn ein Wesen, das sich diese Formen ersonnen und sie in die Tat umgesetzt hatte, war unvorstellbar. Und doch war gleichzeitig etwas an ihnen, was darauf hindeutete, dass mehr als die Kräfte der Natur im Spiel waren. Besonders ganz oben auf ihren Kronen, in Säulen, Brustwehren und Türmchen manifestiert, wirkten sie wie ... Burgen!

Aber nein, das musste seiner Einbildung entspringen, seinem Bedürfnis, diese bizarre Welt mit Kreaturen wie sich selbst zu bevölkern. Es war ein Streich, den ihm dieses vielfarbige, vom Nebel gebrochene Licht spielte, der Nebel, der diese riesigen Druidensteine umwallte, der visuelle wie mentale Verzerrungen erzeugte, Fata Morganas, geboren aus der Entfernung und seinen Träumen. Diese Megalithen waren nicht von Menschenhand erschaffen worden. Oder falls doch, dann bestimmt nicht von Menschen der Sorte, die Michael J. Simmons bisher erlebt hatte.

Also, welche Art dann? Wamphyri? Es mochte Einbildung sein oder nicht – jedenfalls sah Jazz im Geist wieder die Gestalt des Kriegers auf dem Laufsteg, und er hörte seine von primitivem Stolz und Trotz vibrierende Stimme, als er schrie: *»Wamphyri!«*

Kilometer hohe Festungen: die Horste der Wamphyri! Jazz schnaubte voll grimmigem Hohn ob seiner grenzenlosen Einbildungskraft, und doch ... setzte sich dieser Gedanke in seinem Hirn fest und wurde zur fixen Idee.

Mit einem Mal fühlte er sich so deprimiert, so einsam wie noch nie zuvor in seinem Leben. Das Bewusstsein, sich wirklich fast ganz allein und ganz sicher ohne Freunde auf einer Welt zu befinden, deren Bewohner ... Welche Bewohner? Tiere? Jazz hatte noch keines erblickt.

Er blickte zum Himmel auf. Keine Vögel waren dort zu sehen, nicht einmal ein einsamer Raubvogel, der nach seiner Abendmahlzeit Ausschau hielt. War es überhaupt schon Abend? Er hatte zumindest das Gefühl. Es roch nicht nur nach dem Abend dieses Ortes, sondern nach dem Abend einer ganzen Welt. Eine Welt, wo immer Abend herrschte? Es schien ihm möglich, da die Sonne so tief am Himmel stand. Jedenfalls auf dieser Seite der Berge. Und auf der anderen Seite? War es dort Morgen? Immer Morgen?

Er verlor sich in Träumereien, was ganz ungewöhnlich für Jazz war. Er musste sich gewaltsam davon losreißen. So seufzte er, schüttelte sich kurz und schritt energisch in Richtung auf den Pass und den fernen Sonnenrand aus. Die Passhöhe lag weit oben am Kamm eines Bergsattels. Also musste Jazz aufwärts steigen. Doch die Anstrengung tat ihm gut, hielt ihn auch warm und war etwas, worauf er sich konzentrieren konnte. Am Wegesrand wuchsen breite, braune Grashalme, niedriges Gesträuch und an einigen Stellen kieferähnliche Bäume. Über den Geröllfeldern waren die Abhänge dicht von hohen Bäumen bestanden. Hier wirkte die Landschaft ganz so, wie auf jener Welt, die seine Heimat war ... und doch war es eine andere Welt. Sie war ihm fremd, und er hatte die Beweise dafür erlebt, dass tödliche Kreaturen hier lauerten.

Etwa fünfundzwanzig Minuten später blieb er stehen, um eine Ruhepause einzulegen, lehnte sich an einen mächtigen Felsklotz, drehte sich um und blickte zurück.

Die Sphäre lag jetzt mehr als drei Kilometer hinter und unter ihm, und er hatte bereits das weite ›V‹ betreten, jenen Schnitt quer durch die Bergkette. Dort hinten auf der steinübersäten Ebene lag die Sphäre wie ein leuchtendes Ei, das halb in einem Lavafeld begraben lag. Und in ihrem Glanz bewegte sich ein schwarzer Fleck – wie eine Mikrobe. Das konnte nur Vyotsky sein. Noch einen Augenblick hinüber gespäht, dann nickte Jazz mürrisch. Oh ja, das war Vyotsky!

Der Knall eines einzelnen Schusses hallte bis zu Jazz hinauf und kam als vielfaches Echo von den enger werdenden Felswänden zurück. Der Russe hatte seine Waffe dort vorgefunden, wo Jazz sie hinterlassen hatte, und nun teilte er dieser fremden Welt mit, dass er angekommen war. »Passt auf!«, sagte er damit.

»Hier ist ein Mensch, und einer, mit dem ihr rechnen müsst! Wenn ihr wisst, was gut für euch ist, dann reizt Karl Vyotsky nicht!« Wie ein ängstlicher Bauer, der im Dunklen pfeift. Oder vielleicht sagte er auch nur: »Simmons, es ist noch nicht vorbei! Ich warne dich: Sieh dich vor!«

Und Jazz schwor sich, das zu beherzigen.

Unten neben der Sphäre stellte Vyotsky seine Flucherei ein, legte die MP zur Seite und wandte sich dem Motorrad zu. Er sah, dass der Sitz zurückgeklappt war und verzog das Gesicht zu einem Grinsen. In einer Reißverschlusstasche seines Rucksacks steckte ein kleiner Werkzeugbeutel. Es war das Letzte, was sie ihm ›drüben‹ in die Hand gedrückt hatten, und da er es verdammt eilig gehabt hatte, waren die Werkzeuge nicht dort gelandet, wo sie hingehört hätten, nämlich unter dem Sitz. Dann verschwand das Grinsen aus seiner Miene und er atmete erleichtert auf. An diese Werkzeuge hatte er zum Glück überhaupt nicht mehr gedacht, seit ihm Simmons die Maschine abgenommen hatte. Sonst hätte er sie wahrscheinlich frustriert schon ein paar Kilometer zuvor weggeworfen.

Nun löste er den Hakenverschluss eines kleinen Beutels, der hinten an seinem Ledergeschirr festgemacht war, nahm das Werkzeug heraus und löste schließlich die Flügelschrauben des Vorderrads. Als das Rad nur noch schief in der Gabel hing, stellte er sich auf eines der verbogenen Teile der Gabel, den anderen Fuß fest verkeilt, krümmte den Buckel und zog mit einer Hand an dem anderen Gabelteil, bis er spürte, wie es ein wenig nachgab und das Rad endlich herausrutschte. Nun musste er die Gabel wieder zurechtbiegen. Er packte das Vorderteil der Maschine und zerrte sie hinüber zu einem Paar großer Felsblöcke, die eng nebeneinander lagen. Falls er die verbogene Gabel zwischen die beiden Blöcke klemmen konnte und dann genug Kraft in der richtigen Richtung aufwandte ...

Er stellte das Motorrad auf den Kopf, bog die Gabel mit einigem Kraftaufwand zurecht – und erstarrte. Trotz aller Anstrengung hielt er sogar die Luft an. Was zum Teufel war das? Vyotsky sprang von der Maschine weg und riss die MP hoch, entsicherte sie und blickte wild umher. Niemand. Aber er hatte doch etwas gehört! Er hätte schwören können, dass da etwas gewesen war ... Immer noch lauschend schritt er zu der Maschine zurück, und ...

Da war es wieder! Der kräftige Russe bekam eine Gänsehaut. Was ...? War das eine ferne Stimme gewesen? Ein blecherner, scheppernder Ruf? Ein Hilferuf vielleicht?

Er lauschte angestrengt und vernahm den Ruf erneut. Diese winzige, ferne Stimme. Eine *menschliche* Stimme, und sie kam aus einem dieser Wurmlöcher in der Magmasse!

Und das war nicht alles! Vyotsky erkannte diese Stimme. Es war die Zek Föeners, atemlos und doch von fieberhafter Hoffnung erfüllt, voller Sehnsucht danach, mit jemandem sprechen zu können, mit einem einzigen *Menschen* auf dieser fremden, gottverlassenen Welt.

Er warf sich neben das Wurmloch auf den Boden und spähte über den Rand hinab. Der Schacht mit den glatten Wänden war absolut kreisrund, wies einen Durchmesser von etwa einem Meter auf und krümmte sich nach innen in Richtung auf das tief im Gestein ruhenden Unterteil der Kugelsphäre zu. So konnte er das Innere nur ein paar Meter weit erkennen. Doch auf dem Boden des Wurmlochs, genau dort, wo es sich außer Sicht wegkrümmte, lag ein kleiner Funkempfänger von derselben Art, wie ihn Vyotsky in der Tasche trug! Offensichtlich musste das Simmons' Gerät sein, das dieser weggeworfen hatte. Ein winziges rotes Licht flackerte darauf, jedes Mal, wenn Zek Föeners Stimme blechern daraus erscholl. Das Lämpchen zeigte an, wenn das Gerät auf Empfang geschaltet war. Der Empfänger musste nur noch den Lautsprecher aufdrehen.

»Hallo!«, erklang wieder Zeks Stimmchen. »Hallo! Oh, *bitte* antwortet mir doch einer! Ist dort denn niemand mehr? Ich habe gehört, wie du gesprochen hast ... aber ich hab *geschlafen!* Ich dachte, ich träume das bloß! Bitte, *bitte* – wenn da jemand ist, dann sag doch, wer du bist! Und wo du bist! Hallo! Hallo!«

»Zek Föener!«, hauchte Vyotsky und leckte sich die Lippen, als er sie sich vorstellte. Ach, jetzt war sie auf einmal eine ganz andere Frau als die Kratzbürste, die ihn in Perchorsk immer so auf Abstand gehalten hatte! Diese Welt hatte für eine wesentliche Veränderung gesorgt. Jetzt war ihr nur noch daran gelegen, Gesellschaft zu haben – ganz egal, wer es war!

Vyotsky nahm das eigene Gerät heraus, schaltete es ein und zog die Antenne aus. Es gab nur zwei Kanäle. So sandte er seine Nachricht auf beiden Kanälen, um sie auf jeden Fall zu erreichen: »Zek Föener, hier spricht Karl Vyotsky. Ich bin sicher, du erinnerst dich noch an mich. Wir haben eine Methode gefunden, die einseitige Blockade des Tors zu beseitigen. Man hat mich geschickt, um die eventuellen Überlebenden der bisherigen Experimente zu suchen und zurückzubringen. Wenn du mich finden kannst, Zek, dann kommst du hier auch wieder raus! Hörst du mich?«

Als er fertig war, begann das rote Lämpchen an seinem Funkgerät zu blinken. Sie antwortete, aber er konnte sie nicht hören. Er drehte den Ton so weit wie möglich auf, empfing aber nur statisches Rauschen und Prasseln. Er schüttelte das Gerät und starrte es wütend an. Das Plastikgehäuse hatte einen Sprung, und oben am Display war es ziemlich eingedellt. Es war wohl beschädigt worden, als er vom Motorrad stürzte. Außerdem störte vermutlich auch noch Simmons' weggeworfenes Gerät, das ja ebenfalls auf Empfang geschaltet war.

»Shit!«, zischte er zwischen zusammengebissenen Zähnen hindurch.

Er legte das kaputte Funkgerät weg und griff mit einem Arm in das Wurmloch hinein. Mit der freien Hand packte er den Rand des Loches, und mit einem Fuß verhakte er sich an einem Felsbuckel. So streckte er sich immer tiefer hinein, und seine Fingerspitzen krochen auf Simmons' Empfänger zu. Die Antenne war ganz ausgezogen und verbogen, hatte sich jedoch ein wenig an der glatten Schachtwand verkeilt und so ein weiteres Abrutschen verhindert. Schließlich berührten Vyotskys tastende Finger diese Antenne und – sie löste sich aus ihrer Lage!

Verflucht noch mal!

Das Gerät rutschte klappernd in unbekannte Tiefen hinab.

Vyotsky richtete sich mit einer wütenden, unbeherrschten Bewegung auf und kam wieder auf die Beine. Welch ein verdammtes Pech! Erneut hob er sein eigenes Gerät auf und sprach wieder hinein: »Zek, ich kann dich nicht hören! Ich weiß, dass du dort draußen irgendwo steckst und mich möglicherweise hörst, aber ich kann nichts empfangen. Falls du meine Nachricht hörst, wirst du dich vermutlich auf die Suche nach mir machen wollen. Im Moment befinde ich mich noch ganz nahe bei der Sphäre, aber hier werde ich nicht bleiben. Klar, dass ich nach dir Ausschau halten werde! Wie es aussieht, bin ich wohl deine einzige Hoffnung. Das ist doch mal was Neues, oder?«

Das rote Lämpchen begann wieder zu blinken, wie eine kurze, völlig unverständliche Mitteilung im Morse-Alphabet. Er hatte keine Ahnung, ob sie ihn wütend anschrie oder um Hilfe bettelte. Doch früher oder später würde sie sich auf die Suche nach ihm machen. Natürlich hatte er gelogen, als er behauptete, er sei ihre einzige Chance, doch das konnte sie ja nicht wissen. Und selbst wenn sie so etwas vermutete, konnte sie es sich nicht leisten, ihn zu ignorieren.

Vyotsky grinste, wenn auch ein wenig nervös. Nun, auf diese Weise hatte er jedenfalls etwas, worauf er sich freuen konnte. Er würde sie genießen. Immer noch grinsend, schaltete er das Gerät ab.

ZWEITES KAPITEL

Zwei Stunden, nachdem er sich von der Sphäre aus auf den Weg gemacht hatte – zwei einsame, überschattete Stunden, während denen er nichts anderes gehört hatte, als sein eigenes gelegentliches Ächzen, wenn er sich besonders anstrengen musste – legte Jazz Simmons eine erste richtige Pause ein und setzte sich auf die breite, ebene Fläche eines hohen Findlingsblocks, von dem aus er das gesamte Terrain seiner Umgebung gut überblicken konnte. Er nahm einige harte Kekse aus seinem Proviant, und dazu zwei schwarze Blockschokoladenwürfel, die verdichtet und zum Lutschen hergestellt waren, nicht zum Beißen. Er würde alles mit einem Schluck Wasser herunterspülen und sich dann wieder auf den Weg machen. Aber nun, während er seinen nur auf den ersten Blick schlacksigen, aber äußerst kräftigen Körper ein wenig ausruhte, konnte er sich die Zeit zu einem entspannten Rundblick nehmen und über seine Lage nachdenken.

Seine Lage! Was für ein Witz! Er befand sich in einer absolut nicht beneidenswerten Lage: allein in einer fremden Welt, mit Proviant für etwa eine Woche ausgerüstet und so bewaffnet, als wolle er einen Privatkrieg führen. Doch bislang war ihm nichts über den Weg gelaufen, was er erschießen, erschlagen oder verbrennen konnte oder musste. Nicht, dass er sich darüber beschwert hätte! Aber ein Gedanke wiederholte sich stets: Wo befanden sie sich? Wo zur Hölle steckten die Bewohner dieser Welt? Und wenn er sie endlich aufgespürt hatte – oder sie ihn – wie würden sie aussehen und sich verhalten? Immer vorausgesetzt natürlich, dass es hier noch andere Wesen gab als diejenigen, von denen er bereits wusste. Zumindest hoffte er das.

Es war, als habe er es heraufbeschworen.

Zwei Dinge geschahen gleichzeitig: Zum Ersten stieg im Westen jenseits der Gipfel hinter dem gegenüber liegenden Hang ein strahlend heller Halbmond auf und verfärbte den Himmel in dieser Richtung zu einem goldgeränderten Indigo.

Und dann erklang ein fernes, schmerzerfülltes, durchdringendes Heulen. Es stieg zum Mond auf und kehrte als Echo zurück, wurde von anderen Kehlen aufgenommen und bis zu der Passhöhe emporgetragen.

Das Heulen stammte eindeutig von Wölfen! Und Jazz erinnerte sich daran, was man ihm über das zweite Zusammentreffen berichtet hatte. Der da aufgetauchte Wolf war lahm, blind und völlig harmlos gewesen. Das waren die hier bestimmt nicht. Wenn man ein solch gewaltiges Heulen ausstieß, musste man extrem kräftig und gesund sein! Was nicht gerade Gutes für ihn verhieß ...

Jazz beendete seinen Imbiss, wusch sich den Mund mit Wasser aus, rückte den Rucksack zurecht und rutschte von dem Felsbrocken. Es wurde höchste Zeit, weiter zu marschieren. Aber – er stutzte, blieb wie angewurzelt stehen, blickte zuerst geradeaus und dann nach oben, hoch nach oben!

Zuvor hatte der schwache Schein vom Rand der Sonne her die Steilhänge zu beiden Seiten der Schlucht zumindest ein wenig hervorgehoben. Jazz waren sie wie Scheuklappen erschienen, und geradeaus zwischen den dunklen Wänden hatte die eigentliche Aussicht gelegen. Was er dort gesehen hatte, war der falsche Horizont oberhalb des Bergsattels, der von Geröll übersäte Pfad dort hinauf und der schmale Bogen gelben Lichtscheins dahinter. Der Lichtbogen hatte sich, wie Jazz wohl bemerkt hatte, langsam von Westen nach Osten geschoben. Nun befand er sich ganz am äußersten Rand seines schmalen Gesichtsfeldes.

Wenn er während der letzten zwei oder drei Kilometer seinen Blick einen Moment lang von der Sonne abgewandt, das Gesicht der Bergflanke zugekehrt und aufgeblickt hatte, hatten seine Augen, sobald sie sich auf die Dunkelheit eingestellt hatten, gerade noch die dunklen, bewaldeten Höhen und darüber das kalte, silbrige Glänzen von Schnee erspäht. Doch er hatte nicht viel Zeit gehabt, diese Aussicht zu genießen. Meist galt seine Aufmerksamkeit dem kaum sichtbaren Pfad, und er musste sich stets seinen Weg zwischen Felsen und Geröll hindurch suchen, um so leicht wie eben möglich vorankommen. Ursprünglich hatte sich sein Verstand geweigert, die Existenz eines solchen Pfades überhaupt anzuerkennen! Auf seiner eigenen Welt hätte er so etwas für selbstverständlich erachtet, doch er befand sich nun auf einer anderen Welt und rechnete deshalb nicht damit. Doch mittlerweile hatte er einsehen müssen, dass sich die beiden Welten doch nicht in allem unterschieden. Es gab diesen Pfad!

Hier war das Tal sehr viel enger als zuvor. Noch vor zwei Stunden, als er von dem Pass herunter gewandert war, war das Tal vielleicht eineinhalb oder sogar zwei Kilometer breit gewesen, doch mittlerweile hatte es sich auf weniger als zweihundert Meter Breite verengt, wie ein von steilen Felsklippen eingerahmter Flaschenhals. Der Kamm des Bergsattels, auf den er zuhielt, war seiner Schätzung nach höchstens noch dreihundert Meter entfernt. Von dort aus würde er endlich in der Lage sein, etwas von dieser Welt zu sehen: auf der Sonnenseite der Bergkette, wie er in Gedanken lächelnd vermerkte.

Was ihn so abrupt zum Halt gebracht hatte, war folgendes: Der Mond, der nun rasch über dem westlichen Steilhang aufstieg, warf seinen silbrig-gelben Lichtschein auf die Ostwand der Schlucht. Jazz befand sich sehr nahe bei dieser Ostwand, deren Schründe und Klippen dunkel über ihm aufragten. Doch nun, da er nicht mehr nur die bloßen Silhouetten der schwarzen, steilen Felsen wahrnehmen konnte, entdeckte er im Mondschein über sich einen ganz neuen Aspekt.

In Schwindel erregender Höhe wurden Mauern und Türme einer Burg vom Mondschein ganz deutlich dem Dunkel der Nacht entrissen! Ja, es war mit absoluter Sicherheit eine Burg – Irrtum ausgeschlossen! Wo sich einst ein breites Felsband quer an der Klippe entlang gezogen haben mochte, erhoben sich nun die Mauern einer Festung bis hinauf zu dem massiven, überhängenden Fels am oberen Ende der Steilwand. Eine Burg, ein Außenposten, eine grimme Wehr, die den Pass bewachte! Und Jazz wusste: Das Bauwerk konnte gar keine andere Bedeutung haben. Der Pass wurde überwacht.

Er verdrehte seinen Hals, um diese entsetzliche, vom Mond beschienene Düsternis besser wahrnehmen zu können, die hagere Seelenlosigkeit dieses kriegerischen Antlitzes. Da waren Mauerbrüstungen, mit massiven Zinnen bewehrt, zwischen denen die dunklen Aussparungen wie Zahnlücken im Gebiss eines Riesen wirkten. Wo Türme und Erker durch hochragende Strebepfeiler gestützt wurden, gähnten daneben die drohenden Öffnungen von Pechnasen. Teile ganz oben, die normalerweise für eines Menschen Fuß nicht zu betreten gewesen wären, allein schon wegen der hindernden Felsvorsprünge und Überhänge, wurden durch schräg hintereinander angeordnete Säulen erreichbar, die mit ihren Kapitellen eine Art von Treppe bildeten. Viele einzelne Ebenen wurden durch schmale Treppen ohne jedes Geländer verbunden, die zumeist aus dem blanken Felsen herausgeschlagen worden waren. Fensteröffnungen schimmerten wie verhüllte Augen im vom Mondschein gelb gefärbten Stein und blickten hinter ihren Lidern finster auf Jazz herab, der im Schatten verborgen kauerte und wie gelähmt hinaufstarrte.

Die Grundmauern des Gebäudes befanden sich etwa fünfzehn bis zwanzig Meter hoch an der Steilwand, auf halber Höhe einer einzeln aufragenden Felssäule. In dem Kamin zwischen Klippe und Säule waren Steinstufen sichtbar, die sich im Zickzack hochzogen bis zum düster gähnenden Eingang einer Höhle. Vermutlich war es eine sehr weitläufige Höhle, aus der Gänge direkt in die Burg hineinführten. Noch ein Stück höher wucherten die eigentlichen Festungsanlagen wie ein lang gezogener, steinerner Pilz quer über die Felswand. Sie ergänzten die von der Natur geschaffenen Vorsprünge, Spalten und Schründe auf ihre weniger wuchtige, doch viel zweckmäßigere Art. Waren sie von Menschen geschaffen worden? Jazz nahm es an, konnte aber nicht sicher sein.

Doch wer immer diesen Adlerhorst erbaut hatte, war offensichtlich nicht mehr da. Auf den Wehrgängen oder den Treppen rührte sich nichts, in den Fenstern, den Türmen oder auf den Balkonen glimmten keine Lichter, und kein Rauch quoll aus dem hochgezogenen Schornstein, der direkt an den Felsen gemauert war. Die Burg schien verlassen – *schien.* Denn andererseits war sich Jazz vollkommen sicher, dass er von verborgenen Augen beobachtet wurde, während er voll atemlosen Staunens diese gewaltige aus der Felswand gehauene Burganlage musterte.

Der untere Teil der Felssäule, der wie ein knochiger Finger aus der Klippe herausragte, lag noch im Schatten, der unter dem höher steigenden Mond langsam zurückwich. Jazz war froh darüber, dass der Mond aufgegangen war, denn die ferne Sonne war ganz eindeutig am Untergehen. Wenn er den Bergsattel erreichte, würde er vielleicht noch eine Stunde oder etwas länger ihren trüben Schein genießen können, doch im Moment hatte er nur den Mond, der den Würgegriff der Dunkelheit von ihm fern hielt. So schritt er nun rasch weiter, ja, rannte beinahe, um den – eingebildeten? – Augen zu entgehen, hielt sich so weit wie möglich in den Schatten von Felsblöcken und huschte hastig durch vom Mondschein erhellte Zwischenräume. Und so erreichte er schließlich den Sockel der verwitterten Felssäule, wo sie sich aus der Klippenwand herausschob. Oder genauer: Er stand vor der mächtigen Mauer, die den Sockel umgab.

Die Mauer bestand aus massiven Natursteinen, war von breiten Zinnen gekrönt und wies eine lange Reihe von Pechnasen in Form von Drachenmäulern auf. Doch die in Stein gehauenen Drachen waren nicht die der Erde. Jazz schritt leise und rasch an der Mauer entlang und kam an ein aus mächtigen Bohlen gezimmertes Tor, mit Eisen behauen und mit einem Furcht einflößenden Wappen bemalt: wiederum ein Drache, aber mit dem Gesicht und den Flügeln einer Fledermaus und dem Körper eines Wolfs! Ihm kam augenblicklich das Ding in dem Behälter in Perchorsk in den Sinn. Und dieser Drache wurde von einem bedrohlich dunklen Spalt in der Mitte geteilt, denn das Tor stand offen. Die Flügel waren ein Stück weit nach innen geöffnet, doch der dahinter befindliche Hof lag in tiefer Dunkelheit. Wie eine Einladung. Falls es eine war, ignorierte Jazz sie allerdings und eilte weiter der untergehenden Sonne entgegen.

Er wollte so viel Entfernung wie möglich zwischen sich und diesem dunklen Horst wissen, solange das wenige Licht dazu ausreichte.

Minuten später begann er aufzuatmen, als er den Kamm erreichte und mit einem Mal in blassen aber warmen Sonnenschein gebadet wurde. Er beschirmte seine Augen, da ihn die Sonne ein wenig blendete, und wandte sich zurück, um einen Blick auf die Burg zu werfen. Auf ein paar hundert Meter Entfernung hob sie sich kaum noch von der steilen Felswand ab. Jazz wusste, dass sie da war, hatte sie gesehen und auf gewisse Weise sogar gefühlt, aber Stein war Stein, und die zerklüftete Wand bildete eine gute Tarnung. Jazz wurde erst jetzt bewusst, wie erleichtert er war, an diesem Ort unbeschadet vorbeigekommen zu sein. Vielleicht hielt sich dort tatsächlich niemand auf, aber er war trotzdem froh.

Er atmete tief durch, stieß die Luft in einem lang gezogenen Seufzer aus – und fuhr erschrocken zusammen!

Ganz in der Nähe bewegte sich etwas im Schatten umgestürzter Felsbrocken, die sich wie dunkle Buckel zu seiner Linken erhoben, und eine kalte Frauenstimme sagte auf Russisch: »Tja, Karl Vyotsky, du hast die Wahl. Sprich oder stirb. Und zwar auf der Stelle!«

Jazz hatte seit der Burg seinen Finger am Abzug der Maschinenpistole gehabt. Noch bevor die Frau ausgesprochen hatte, war er bereits herumgefahren und schwenkte seine Waffe in die Richtung, wo sie sich in der Dunkelheit verbarg. Sie wäre jetzt bereits tot, hätte er die MP nicht gesichert belassen. Jazz war allerdings froh darüber, dass er sie nicht entsichert hatte. Bei seiner Geschwindigkeit und Zielgenauigkeit bewährte es sich, Vorsichtsmaßnahmen zu treffen. Und diesmal hatte er eben den Sicherungsbügel unberührt gelassen. Seine Nerven waren einfach zu angespannt. Und auf bloße Schatten zu schießen, war ein sicheres Zeichen dafür, dass die Nerven versagten.

»Lady«, sagte er mit angespannter Stimme, »... Zek Föener, nehme ich an? – Ich bin nicht Karl Vyotsky! Wäre ich es, dann wären Sie jetzt vermutlich bereits auf dem Weg in den Himmel, falls es hier so was gibt.«

Augen blickten Jazz aus der Dunkelheit heraus aufmerksam an, doch es waren nicht die Augen einer Frau. Sie waren dreieckig – und gelb. Und befanden sich viel zu nahe am Boden. Ein Wolf – grau, riesengroß und hungrig wirkend – trat vorsichtig aus den Schatten. Die rote Zunge hing zwischen Reißzähnen heraus, die bestimmt fast vier Zentimeter lang waren. Und nun entsicherte Jazz seine Waffe. Das Klicken war unverkennbar.

»Halt!«, erklang wieder die Stimme der Frau. »Er ist mein Freund! Und bisher – vielleicht auch weiterhin – mein einziger Freund!« Kies knirschte, und sie trat aus den Schatten. Der Wolf trabte zu ihr und stellte sich an ihre rechte Seite, ein wenig nach hinten versetzt. Sie hielt genau wie Jazz eine Maschinenpistole, doch ihre Hände zitterten sichtlich, während sie auf ihn zielte.

»Ich wiederhole es noch einmal«, sagte er, »falls Sie mich nicht verstanden haben: Ich bin *nicht* Karl Vyotsky!« Der Lauf ihrer Waffe zitterte womöglich stärker als zuvor. Jazz sah kurz hin und kommentierte: »Zum Teufel, Sie würden mich wahrscheinlich ohnehin verfehlen!«

»Der Mann am Funksprechgerät?«, fragte sie unsicher. »Vor Vyotsky? Ich ... ich erkenne Ihre Stimme.«

»Was?« Dann begriff Jazz. »Ach ja, das war ich. Ich habe versucht, Khuv nervös zu machen, aber ich bezweifle, dass er mich überhaupt gehört hat. Khuv war es nämlich, der mich durch das Tor schickte, genau wie Sie! Doch wenigstens hat er mich nicht belogen! Ich bin Michael J. Simmons, britischer Agent. Ich weiß ja nicht, wie Sie darüber denken, aber ich schätze, wir sitzen jetzt im gleichen Boot. Sie können mich ruhig Jazz nennen. Das tun alle meine Freunde, und ... würde es Ihnen etwas ausmachen, mit dem Ding woanders hin zu zielen?«

Sie schluchzte laut und herzerweichend, und dann fiel sie ihm in die Arme. Er spürte, dass es gegen ihren Willen geschah, aber sie konnte nicht anders. Die MP klapperte auf den steinigen Boden und sie klammerte sich noch fester an ihn. »Britisch?«, schluchzte sie an seiner Schulter. »Es ist mir gleich, ob Sie Japaner sind oder Afrikaner oder Araber! Und meine Maschinenpistole hat sowieso Ladehemmung. Seit Tagen schon. Und außerdem habe ich keine Munition mehr. Und wenn sie funktioniert hätte ... dann ... wahrscheinlich hätte ich mich selbst erschossen. Ich ... ich ...«

»Schon gut«, sagte Jazz beruhigend. »Es wird alles wieder gut!«

»Die Sonnenseiter sind hinter mir her«, schluchzte sie weiter, »und wollen mich den Wamphyri ausliefern, und Vyotsky sagte, es gebe einen Weg zurück, und ...«

»Was hat er?«, rief Jazz völlig überrascht. »Sie haben mit Vyotsky gesprochen? Das ist doch unmö...« Dann hielt er inne. Aus ihrer obersten Jackentasche ragte die Antenne eines kleinen Funksprechgeräts. »Vyotsky ist ein Lügner«, sagte er. »Vergiss es!« Mit einem Mal verfiel er in das vertrauliche Du. »Es gibt keinen Weg zurück. Er sucht bloß Gesellschaft, das ist alles.«

»Oh Gott!« Ihre Finger krallten sich in seine Schultern. »Oh *Gott!*«

Jazz umschloss sie noch fester mit dem linken Arm, und mit der rechten Hand streichelte er über ihr Gesicht. Ihre Tränen kullerten heiß auf seinen Hals. Er roch sie, und sie duftete nicht gerade nach Blüten. Das war eine Mischung aus Schweiß und Angst und nicht zuletzt Schmutz. Er schob sie auf Armlänge von sich weg und musterte sie. Selbst in dem trüben Lichtschein sah sie noch gut aus. Ein bisschen hager, aber gut. Und sehr menschlich. Sie ahnte das nicht, aber er war mindestens genauso froh, sie zu sehen, wie umgekehrt.

»Zek«, sagte er, »wir sollten uns einen geschützten Platz suchen, wo wir uns in Ruhe unterhalten und Informationen austauschen können, ja? Ich glaube, du kannst mir verdammt viel Zeit und Mühe ersparen!«

»Es gibt eine Höhle, in der ich geschlafen habe«, sagte sie ihm atemlos. »Sie liegt vielleicht elf oder zwölf Kilometer von hier. Ich hatte geschlafen, als ich deine Stimme ...« – auch sie duzte ihn nun – »... im Funk hörte. Ich glaubte aber zu träumen! Als mir schließlich bewusst wurde, dass es kein Traum war, war es zu spät. Du warst weg. Also machte ich mich auf den Rückweg zur Sphäre, wie ich es sowieso geplant hatte. Und etwa alle zehn Minuten schickte ich einen Funkruf los. Und dann war plötzlich Vyotsky am anderen Ende ...« Sie schauderte leicht.

»Okay«, sagte Jazz schnell. »Es ist jetzt alles in Ordnung, soweit das eben möglich ist. Erzähl mir alles auf dem Weg zu deiner Höhle, ja?« Er bückte sich, um ihre MP aufzuheben, und sofort duckte sich ihr Wolf, fletschte Furcht erregend die Zähne und knurrte laut.

Sie streichelte daraufhin dem Tier mit einer beinahe abwesenden Geste über den mächtigen Kopf, an dem die Ohren nun flach anlagen, und sagte: »Ist schon gut, Wolf – er ist ein Freund.«

»Wolf?« Jazz lächelte unwillkürlich, wenn auch leicht angespannt. »Das ist aber originell.«

»Er wurde mir von Lardis mitgegeben«, berichtete sie. »Lardis ist der Anführer einer Nomadenfamilie. Natürlich Sonnenseiter, klar. Wolf sollte mich beschützen, und das hat er auch getan. Wir haben uns schnell angefreundet, aber ein Schoßtierchen wird wohl nie aus ihm. Dazu trägt er zu viel der Wildnis in sich. Sieh ihn als einen großen, freundlichen Hund an – und damit meine ich wirklich: Schicke ihm freundliche Gedanken, vermittle ihm das Gefühl, ein Freund zu sein – und du hast keine Schwierigkeiten mit ihm.« Sie wandte sich ab und führte ihn auf dem Weg vom Bergkamm hinunter, dem Dunst verhangenen Sonnenball entgegen, der anscheinend völlig unbeweglich über dem südlichen Ausgang des Tals hing.

»Ist das Theorie oder Tatsache?«, fragte Jazz. »Was Wolf betrifft, meine ich.«

»Es ist eine Tatsache«, antwortete sie schlicht. Und dann blieb sie mit einem Mal stehen und packte ihn am Arm. »Bist du sicher, dass wir nicht durch die Sphäre zurückkehren können?« Ihre Stimme klang bittend, fast wie die eines Kindes.

»Ich habe es dir doch gesagt«, antwortete Jazz, wobei er sich bemühte, nicht zu bitter zu erscheinen. »Vyotsky ist ein Lügner – neben vielen anderen zweifelhaften Eigenschaften. Glaubst du, er wäre noch hier, wenn er einen Weg hinaus wüsste? Als sie mich durch das Tor zwangen, habe ich Vyotsky mitgeschleift. Nur aus diesem Grund befindet er sich hier. Ich sagte mir, wenn es schlimm genug für mich sei, wäre es gerade gut genug für ihn! Khuv und Vyotsky, das sind Menschen, die ... Es ist schwer, einen Ausdruck für sie zu finden, der nicht beleidigend klingt.«

»Beleidigend?«, fragte sie ungläubig. »Das sind doch Bastarde!«

»Sag mal«, fuhr Jazz fort, als er ihr erneut hinterher schritt, »warum wolltest du eigentlich zur Sphäre zurück?«

Sie warf ihm einen kurzen Blick zu. »Wenn du mal so lange hier bist wie ich, stellst du mir diese Frage nicht mehr. Ich kam auf diesem Weg her, und es ist das einzige Tor, das ich kenne. Ich träume immer noch davon, dort diese Welt wieder zu verlassen. Ich wache mit dem Gedanken auf, dass alles verändert sei, dass die Pole sich umgekehrt haben und der Weg nun in die andere Richtung führt. Ich wollte hin und nachsehen. Bei Sonnenaufgang natürlich, also jetzt. Eine einzige, winzige Chance, und falls ich sie nicht wahrnehmen kann, schaffe ich es auch nicht mehr zurück zur Sonnenseite.«

Jazz runzelte die Stirn. »Umgekehrte Pole und so – soll das wissenschaftliches Zeug sein? Soll es tatsächlich irgendetwas bedeuten?«

Sie schüttelte den Kopf. »Nur ein Wunschtraum«, sagte sie, »aber es ist doch einen letzten Versuch wert, oder?«

Eine Weile schritten sie schweigend weiter, den großen Wolf zwischen sich.

Jazz brannte eine Million Fragen auf der Zunge, aber er wollte sie nicht damit ermüden. Schließlich fragte er nur: »Wo zum Teufel sind alle? Wo sind die Tiere, wenigstens die Vögel? Ich meine, es liegt doch in der Natur der Dinge, dass dort, wo Bäume stehen, auch Tiere vorhanden sind, die sie als Lebensraum benützen. Und dann habe ich in Perchorsk Sachen gesehen, die mich glauben machten, mein Kommen sei wie ein Schneeball, den man in die Hölle wirft! Und doch habe ich noch nichts entdeckt ...«

»Das kannst du auch nicht«, unterbrach sie ihn. »Nicht auf der Sternseite, und nicht, wenn die Sonne am Himmel steht. Da wir uns nun der Sonnenseite nähern, wirst du bald anfangen, Vögel und andere Tiere zu sehen – auf der anderen Seite dieser Bergkette. Aber nicht auf der Sternseite. Glaube mir, Michael – äh, Jazz? – du kannst sehr wohl darauf verzichten, das zu sehen, was auf der Sternseite lebt!« Sie zitterte ein wenig und schlang die Arme um ihren Körper.

»Sternseite und Sonnenseite«, sagte er nachdenklich. »Der Pol liegt dort hinten, die Berge erstrecken sich von Osten nach Westen, und die Sonne steht im Süden.«

»Ja«, sagte sie und nickte bestätigend, »Wie immer.« Sie stolperte, brachte ein überraschtes »Oh!« heraus und fiel auf ein Knie. Jazz bekam gerade noch ihren Ellbogen zu fassen und hinderte sie daran, zu Boden zu stürzen. Diesmal protestierte Wolf nicht. Jazz half Zek auf die Beine und führte sie zu einem abgeflachten Felsbrocken. Er ließ den Rucksack von der Schulter gleiten und nahm ein Vierundzwanzig-Stunden-Proviantpaket für eine Person heraus. Dann stellte er den Rucksack auf die Felsplatte, und Zek musste sich darauf setzen.

»Du bist völlig ausgehungert!«, stellte er fest und zog den Ring einer kleinen Dose mit konzentriertem Fruchtsaft auf. Er nippte selbst kurz daran, um sich den Mund auszuspülen, reichte ihr die Dose und sagte: »Trink sie aus!« Sie folgte mit sichtlichem Wohlbehagen. Wolf stand daneben und wedelte freudig mit dem Schwanz wie ein Schoßhündchen. Speichel rann ihm zu beiden Seiten der Schnauze herab. Jazz brach einen Brocken der russischen Blockschokolade ab und warf ihn. Bevor er den Boden erreichte, schlossen sich die mächtigen Wolfskiefer um ihn.

»Es liegt vor allem an meinen Füßen«, sagte Zek. Sie trug grobe Ledersandalen, aber zwischen ihren herauslugenden Zehen sah er verkrustetes Blut. Der Dunstschleier vor der Sonne hatte sich weitgehend verzogen, das Licht war heller, und

Jazz konnte sie nun eingehender betrachten. Farben waren immer noch nicht deutlich zu erkennen, aber Umrisse und Silhouetten ergaben brauchbare Kontraste. Ihr einteiliger Overall war an Knien und Ellbogen verschlissen und auf dem Rücken geflickt. Sie trug lediglich eine schmale Rolle bei sich, die sie mit einem Karabinerhaken an ihrem überkreuzten Leibgurt befestigt hatte. Jazz nahm an, dass es sich um einen Schlafsack handelte.

»Das ist auch keine vernünftige Fußbedeckung für dieses Terrain!«, tadelte er.

»Das ist mir jetzt auch klar«, gab Zek zu, »aber ich hatte einfach nicht daran gedacht. Auf der Sonnenseite ist es schon schlimm genug, aber dieser Passweg ist noch schlimmer. Ich hatte genau wie du Stiefel dabei, als ich her kam. Doch die halten nicht. Die Füße bilden zwar schnell eine Hornhaut, aber manche dieser Kiesel und Steinbrocken sind messerscharf!«

Er reichte ihr Schokolade, die sie ihm beinahe aus der Hand riss. »Vielleicht sollten wir gleich hier rasten«, schlug er vor.

»Das ist zwar sicher mit der Sonne am Himmel«, antwortete sie, »aber ich würde doch lieber weiterziehen. Da wir die Sphäre nicht benutzen und auch nicht auf der Sternseite bleiben können, sollten wir am besten so schnell wie möglich auf die Sonnenseite zurückkehren.« Es klang, als hege sie Befürchtungen.

»Irgendein besonderer Grund?« Jazz war schon bei der Frage sicher, dass ihm die Antwort nicht gefallen würde.

»Eine ganze Menge Gründe«, antwortete sie, »und alle leben dort hinten!« Sie nickte in die Richtung, aus der sie gekommen waren.

»Bist du in der Lage, mir von ... ihnen zu erzählen?« Jazz nahm eine seiner Gürteltaschen ab, von der er wusste, dass sie unter anderem ein Erste-Hilfe-Päckchen enthielt. Er nahm Mullbinden heraus, eine Tube Salbe und Pflaster. Und während Zek berichtete, kniete er vor ihr, zog ihr vorsichtig die Sandalen von den zerschundenen Füßen und behandelte ihre Wunden.

»Von *ihnen*«, wiederholte sie. Es klang verächtlich und ein wenig ängstlich aus ihrem Mund, und wieder durchlief ein Schaudern ihren ganzen Körper. »Du meinst die Wamphyri? Oh ja, sie stellen natürlich das Hauptproblem dar, das stimmt, aber auf der Sternseite gibt es noch einige beinahe genauso schlimme Dinge. Hast du Agurskys ›Schoßtier‹ in dem Behälter in Perchorsk gesehen?«

Jazz blickte auf und nickte. »Hab ich. Aber dir genau zu beschreiben, *was* ich gesehen habe, ist eine ganz andere Sache!« Er riss ein Stück Verbandsmull ab, tränkte es mit Wasser aus seiner Feldflasche, und wusch sanft das verkrustete Blut von ihren Zehen. Sie seufzte erleichtert, als er Salbe aus der Tube quetschte und sie in den Rissen zwischen ihren Zehen und den Hornhäuten verrieb.

»Das Ding, das du gesehen hast, entsteht, wenn ein Vampirei in eine Spezies lokaler Fauna gelegt wird«, erklärte sie ihm. Sie sagte das ganz beiläufig mit völlig emotionsloser Stimme.

Jazz hielt mit der Behandlung ihrer Füße inne, sah ihr direkt in die Augen und nickte bedächtig. »Ein Vampirei? Habe ich dich da richtig verstanden?« Sie sah ihm so hartnäckig in die Augen, dass er schließlich den Blick abwenden musste. »Okay, also ein Vampirei«, sagte er achselzuckend und begann, Mullbinden um ihre Füße zu wickeln. »Die Wamphyri sind Wesen, die sich mit Hilfe von Eiern fortpflanzen, richtig?«

Erst schüttelte sie den Kopf, dann änderte sie ihre Meinung und nickte. »Ja und nein«, sagte sie schließlich. »Die Wamphyri sind das Ergebnis, wenn ein Vampirei in einem Mann – oder einer Frau – abgelegt wird.«

Jazz zog ihr die Sandalen wieder an. Sie hatten ein wenig zu locker gesessen und somit auch Blasen verursacht. Nun saßen sie fester, und ihre Füße konnten nicht mehr so leicht darin rutschen. »Ist es so besser?«, fragte er freundlich. Er dachte dabei die ganze Zeit über das nach, was sie ihm gesagt hatte, und beschloss, ihr Muße zu lassen, bis sie ihm alles in ihren eigenen Worten und auf ihre Weise erklärt hatte.

»Das tut gut«, sagte sie erleichtert. »Danke!« Sie stand auf, half ihm, den Rucksack wieder auf den Rücken zu wuchten, und dann machten sie sich erneut auf den Weg der Sonne entgegen.

»Hör mal«, sagte er, als sie nebeneinander weiter schritten. »Warum erzählst du mir unterwegs nicht alles, was du erlebt hast, seit du hier angekommen bist? Alles, was du gesehen und sonst wie erfahren und herausbekommen hast. Ich höre einfach zu. Vermutlich haben wir ja eine Menge Zeit. Die Sicht ist gut, und wir scheinen uns nicht in einer unmittelbaren Gefahr zu befinden. Die Sonne steht dort vorn am Himmel, und hinter uns ist der Mondschein ...«

»Tatsächlich?«, fragte Zek zurück. Jazz hatte ihr leichtes Kopfschütteln bemerkt. So wandte er sich um, um nach dem Mond zu sehen. Der war bereits über den Pass hinweg und sein Rand berührte die Gipfel im Osten. In ein paar Minuten würde er untergehen. »Die planetare Rotation ist unglaublich langsam«, begann sie zu erklären. »Und die Umlaufbahn des Mondes ist recht nah, und er läuft auch sehr schnell um diese Welt. Ein Tag hier dauert auf der Erde ungefähr eine Woche. Oh, übrigens – dieser Planet ist die ›Erde‹! So nennen sie ihn jedenfalls. Natürlich ist es nicht unsere Erde, sondern ihre. Erst ist mir das komisch vorgekommen, aber dann sagte ich mir: Wie sollten sie ihre Welt wohl sonst nennen?

Jedenfalls rotiert dieser Planet sehr langsam in westlicher Richtung, und seine Polachse ist nicht genau auf die Sonne ausgerichtet. Es ist, als wackle der Planet ein wenig auf seiner Bahn. Man sieht die Sonne auf einer West-Ost-Bahn, gegen den Uhrzeigersinn also, wie sie langsam einen kleinen Kreis beschreibt. Ich bin keine Astronomin und keine Wissenschaftlerin, also frage mich bitte nicht nach den genauen Umständen, aber es kommt auf Folgendes heraus: Auf der Sonnenseite erleben wir einen ›Morgen‹ von etwa vierundzwanzig Stunden Dauer, einen ›Tag‹, der ungefähr fünfundsiebzig Stunden währt, einen fünfundzwanzigstündigen ›Abend‹ und eine vierzigstündige ›Nacht‹.«

Jazz blickte wieder hoch und sah, dass der Mond bereits zur Hälfte hinter den scharf umrissenen Gipfeln versunken war. Er glaubte sogar, sehen zu können, wie sein Schein schwächer und die Scheibe sichtbar kleiner wurde. »Ich bin auch kein Astronom«, sagte er, »aber dieser Mond dort bewegt sich auffallend schnell für meine Begriffe!«

»Das stimmt«, bestätigte sie. »Er dreht sich auch sehr schnell um die eigene Achse, und im Gegensatz zu unserem Mond sieht man seine Vorder- und seine Rückseite.«

Jazz nickte. »Ist nicht gerade schüchtern, wenn er uns auch den Hintern zeigt.«

Sie schnaubte. »Auf gewisse Weise erinnerst du mich an einen anderen Engländer, den ich kennen gelernt habe«, sagte sie. »Er schien auch ein wenig naiv zu sein, aber in Wirklichkeit war er alles andere als das!«

»Oh?«, machte Jazz. »Und wer war der Glückliche?«

»So glücklich war er auch wieder nicht«, wiegelte sie ab und hielt ihren Kopf ein wenig schief. Jazz betrachtete im letzten schwachen Mondschein ihr Profil, und es gefiel ihm. Sehr!

»Also, wer war es?«, fragte er noch einmal.

»Er war Mitglied – vielleicht sogar der Chef? – eures britischen E-Dezernats«, antwortete sie. »Er hieß Harry Keogh. Und er hatte eine besondere Gabe. Ich habe auch eine, aber seine war ... anders. Ich bin mir nicht einmal sicher, ob man das noch unter ESP einreihen kann. Er unterschied sich schon ziemlich stark von uns anderen.«

Jazz erinnerte sich daran, was Khuv ihm über sie erzählt hatte. Für ihn waren solche Sachen mehr oder weniger Humbug, aber das wollte er sie nicht spüren lassen. »Ach, stimmt ja«, sagte er deshalb in neutralem Tonfall. »Du gehörst ja auch zu denen, nicht wahr? Du liest Gedanken, ja? Und was konnte dieser Keogh alles?«

»Er war ein Necroscope«, sagte sie mit plötzlich kalt klingender Stimme.

»Ein was?«

»Er konnte mit den Toten sprechen!« Sie blieb abrupt stehen und trat mit zorniger Miene einen Schritt von ihm zurück.

Er bemerkte ihre steife Haltung, ihre mit einem Mal schlechte Laune, und nun stand zwischen ihnen der große Wolf und blickte mit seinen gelben Augen vom einen zum anderen.

»Habe ich irgendetwas angestellt?«

»Du hast etwas *gedacht!*«, fauchte sie ihn an. »Du dachtest: Was für eine Bande von Idioten!«

»*Meine Herren!«,* stöhnte Jazz. Denn genau das waren seine Gedanken gewesen!

»Hör zu!«, sagte sie aufgebracht. »Weißt du, wie viele Jahre lang ich meine telepathische Gabe vor allen anderen verbergen musste? Obwohl ich wusste, dass ich besser war als alle anderen, die für sie arbeiteten, wollte ich nichts mit ihnen zu tun haben! Ich *wagte* nicht, für sie zu arbeiten, denn mir war klar, dass ich früher oder später wieder auf Harry Keogh treffen würde! Ich habe für meine Gabe *gelitten*, Jazz, und doch – jetzt und hier, da es nicht mehr darauf ankommt – wenn ich *zugebe*, was ich bin ...«

»Beweise es mir!«, unterbrach er sie. »Mir ist auch klar, dass wir nicht weiterkommen werden, wenn wir einander nicht vertrauen können. Den anderen belügen oder in die Irre führen, bringt absolut nichts. Wenn du sagst, du kannst das, muss ich dir wohl glauben, denn ich weiß, dass es einige Leute gibt, die ebenfalls genau das von dir glauben. Aber gibt es keine Möglichkeit, mir deine Gabe unter Beweis zu stellen? Du musst zugeben, Zek, dass du eben genauso hättest erraten können, was ich dachte – schwierig war das ja nicht! Und es geht mir nicht nur um deine Telepathie, sondern auch darum, was du von diesem Kerl, diesem ... Keogh, behauptest! Sag mir nicht, du hättest noch nie mit Zweiflern zu tun gehabt; schließlich hast du eine Gabe, die von den meisten Leute als übernatürlich betrachten wird!«

»Du willst mich auf die Probe stellen?« Ihre Augen schienen Funken zu versprühen. »Mich verspotten? *Weiche von mir,* Satan!«

»Oh, macht dich dein Talent so göttergleich und überlegen, ja?« Jazz konnte sein spöttisches Grinsen nicht zuruckhalten. »Wenn du so gut bist, wieso hast du dann nicht gewusst, wer über den Pass auf dich zu kam? Wenn das mit Telepathie und ganz allgemein mit ESP stimmt, warum hat Khuv dann nicht geahnt, dass ich ein Magazin für meine Maschinenpistole versteckt hatte? Damit war ich ja erst in der Lage, diesen Schläger Vyotsky mit auf diese Welt zu schleifen!«

Wolf winselte leise und legte die Ohren an.

»Du regst ihn auf«, bemerkte Zek, »und mich auch! Du hast auch nicht verstanden, was ich eigentlich sagen wollte. Großer Macho, ja? Ich sage ›Ich bin Telepathin‹, und du entgegnest: ›Beweis es!‹. Als Nächstes wirst du von mir einen Beweis fordern, dass ich eine Frau bin!«

Jazz nickte und verzog mürrisch das Gesicht. »Du schätzt dich wohl ziemlich hoch ein, was? Wer weiß, welche Art von Männern du gewohnt bist, aber ich ...«

»In Ordnung!«, fauchte sie. »Sieh her ...«

Sie bedachte Wolf mit einem kurzen Blick, wandte sich um, warf den Kopf empört hoch und schritt der Sonne entgegen. Sie ging etwa hundert Meter weiter, während Jazz und der Wolf am gleichen Fleck standen und sie beobachteten. Schließlich blieb sie stehen und blickte sich um. »Ich werde jetzt gar nichts *sagen!*«, rief sie Jazz zu. »Bilde dir deine eigene Meinung zu dem, was gleich geschieht.«

Jazz runzelte die Stirn und dachte: *Was zum Teuf...*, doch im nächsten Augenblick zeigte ihm Wolf, was sie gemeint hatte. Das riesige Geschöpf trat an ihn heran, packte mit dem mächtigen Gebiss den einen Ärmel seines Overalls – ganz sanft allerdings – und begann, Jazz in Zeks Richtung zu zerren. Jazz stolperte überrascht und ging dann schneller, doch je schneller er ausschritt, desto schneller sprang der Wolf neben ihm her, so dass sie schließlich im Sprint-Tempo bei der jungen Frau anlangten. Erst dann ließ der Wolf seinen Ärmel los.

»Also?«, fragte sie herausfordernd, als Jazz schnaufend neben ihr stand.

Er sog pfeifend Luft durch das Loch in seinem Kiefer, wo sich einst zwei weitere Zähne befunden hatten, hob eine Hand und kratzte sich an der Nase. »Nun«, begann er zögernd, »ich ...«

»Du glaubst, ich hätte das Tier einfach nur gut dressiert«, fiel sie ihm ins Wort. »Aber wenn du das aussprichst, ist die Sache beendet und ich gehe meiner eigenen Wege. Ich habe bis jetzt auch ohne dich überlebt, und das kann ich weiterhin.« Wolf stellte sich schützend neben sie.

»Zwei gegen einen.« Jazz grinste etwas reumütig. »Und da ich stets ein Vertreter der Demokratie war ... Okay, ich habe keine andere Wahl, als dir zu glauben. Du bist also Telepathin.« Sie gingen nun weiter, allerdings mit ein wenig mehr Abstand als zuvor. »Warum hast du dann nicht gewusst, dass ich es war, der den Pass hoch kommt? Wieso hast du mich für Vyotsky gehalten?«

»Du hast doch die Festung da hinten gesehen, ja?«

»Klar.«

»Deshalb.«

Jazz blickte zurück. Das an die Steilwand geschmiegte Festungswerk musste mittlerweile einige Kilometer zurück liegen. »Aber sie war leer, verlassen!«

»Vielleicht, vielleicht auch nicht. Die Wamphyri suchen mich mit allen Mitteln. Sie sind nicht dumm – im Gegenteil! Sie wissen, dass ich durch die Sphäre, durch das Tor kam. Und selbstverständlich sind sie auf den Gedanken gekommen, dass ich früher oder später versuchen werde, auf dem gleichen Weg wieder hinauszukommen. So viel Intelligenz traue ich ihnen wirklich zu. Es wäre ihnen bestimmt leicht gefallen, während des letzten Sonnunter – während irgendeines der vielen Sonnunter – eines dieser ... Wesen dort hinein zu schicken. Es gibt dort drinnen genügend Räume und Ecken, in die niemals ein Sonnenstrahl fällt.«

Jazz schüttelte den Kopf und hielt ihr abwehrend eine Hand entgegen. »Selbst wenn ich all das verstünde, was du gesagt hast – und das ist nicht der Fall – wüsste ich immer noch nicht, was das mit mir zu tun haben soll«, klagte er.

»Auf dieser Welt«, erklärte sie, »musst du alle ESP-Kräfte mit äußerster Vorsicht einsetzen. Die Wamphyri haben diese Fähigkeiten nämlich ebenfalls – in vielen verschiedenen Formen, genau wie die Tiere hier, wenn auch natürlich in geringerem Maße. Nur die echten Menschen besitzen keine solchen Fähigkeiten.«

»Willst du damit sagen, die Wamphyri könnten in dieser Festung jemand – etwas – zurückgelassen haben, was deine Gedanken *liest?*« Wieder reagierte Jazz beinahe ungläubig.

»Ja, es könnte meine an jemand anders gerichteten Gedanken gelesen haben.« Sie nickte bestätigend.

»Aber das ist doch ...« Er bremste sich rechtzeitig, um sie nicht zu beleidigen.

»Wolf kann sie verstehen«, sagte sie schlicht.

»Und ich?«, fragte Jazz schnaubend. »Bin ich jetzt ein Idiot oder so was, weil ich nichts verstehe?«

»Nein.« Sie schüttelte den Kopf. »Kein Idiot, nur ein echter Mensch. Und du bist eben kein ESPer. Pass mal auf! Als ich hier entlang kam, hörte ich deine Gedanken, aber fern und eigenartig und verwirrend. Ich wagte nicht, mich auf dich zu konzentrieren und deine Identität festzustellen, damit ein anderes Wesen nicht die Möglichkeit erhielt, mich zu identifizieren und meinen Standort herauszufinden. Nun, da wir uns im Sonnenlicht bewegen, ist die Gefahr gering und der Druck weg, doch je mehr ich mich der Sternseite näherte, desto vorsichtiger musste ich sein! Und da ich nicht sicher sein konnte, ob du nicht wirklich Vyotsky warst, habe ich dich erst einmal bedroht. Du sagtest, dass er mich wahrscheinlich getötet hätte. Vielleicht, vielleicht auch nicht. Er hätte jedoch erst einmal Wolf umbringen müssen, was nicht gerade leicht sein dürfte. Und hätte er mich tatsächlich getötet, wäre er selbst ganz allein gewesen. Das Risiko musste ich halt eingehen ...«

Diesmal akzeptierte Jazz alles, was sie ihm gesagt hatte. Irgendwo musste er ja mit dem Vertrauen anfangen, also warum nicht an diesem Punkt? »Hör mal«, sagte er, »obwohl ich mich eigentlich für einen Menschen halte, der einigermaßen schnell begreift, musst du mir doch noch einiges erklären, was du mir so schlicht und einfach erzählt hast. Es gibt allerdings eines, was ich sofort wissen sollte: Muss ich jetzt jeden meiner Gedanken hüten?«

»Hier im Sonnenlicht? Nein. Auf der Sternseite: ja – die ganze Zeit über! Aber mit ein wenig Glück müssen wir die Sternseite ja überhaupt nicht wieder betreten.«

»Okay.« Jazz nickte. »Dann lass uns über Dinge sprechen, die von unmittelbarem Interesse sind. Wo befindet sich diese Höhle, von der du berichtet hast? Ich glaube, wir sollten allmählich eine Rast einlegen! Außerdem siehst du aus, als könntest du eine richtige Mahlzeit gebrauchen!«

Nun lächelte sie ihn zum ersten Mal an. Jazz wünschte sich, er könne sie im strahlenden Sonnenschein der heimatlichen Erde genauer mustern. Es würde sich lohnen.

»Ich sag dir was«, bemerkte sie freundlich. »Ich habe vor langer Zeit gelernt, nicht den Gedanken anderer zu lauschen. Sie können wohl auch sehr nett sein, ganz klar, aber eben auch äußerst unangenehm! Wir denken manchmal Dinge, die wir niemals aussprechen würden. Das geht mir genauso. Unter uns ESPern gilt die eiserne Regel, die Privatsphäre anderer zu achten. Aber ich war nun sehr lange einsam und hatte niemanden, dem ich mich mitteilen, mit dem ich sprechen konnte. Ein denkendes Wesen von meiner eigenen Welt. Und deshalb – nun, während ich dir zuhörte, konnte ich mir nicht helfen und habe auch ein wenig deinen Gedanken gelauscht. Ich werde mich bemühen, das abzustellen, je mehr Zeit wir miteinander verbringen. Ich bemühe mich auch jetzt ... aber ich kann es einfach nicht ganz vermeiden.«

Jazz runzelte die Stirn. »Was habe ich denn gedacht?«, fragte er. »Ich sagte doch nur, wir sollten rasten.«

»Gemeint hast du aber, dass *ich* diese Rast nötig habe! Ich, Zek Föener. Das ist lieb von dir, und wenn es denn wirklich so wäre, würde ich dein Angebot gern akzeptieren. Aber du hast auch einen ziemlich weiten Weg hinter dir! Außerdem würde ich es tatsächlich vorziehen, weiterzugehen, bis wir ganz aus dem Pass heraus sind. Noch ungefähr sechs Kilometer, würde ich sagen.

Dazu kommt noch etwas: Wie du siehst, berührt die Sonne jetzt gerade die Ostwand. Es dauert recht lange, doch in etwa eineinhalb Stunden wird der Pass wieder in vollkommener Dunkelheit liegen. Auf der Sonnenseite dauert der Tag noch ungefähr – sagen wir, fünfundzwanzig Stunden, und der Abend ist noch einmal genauso lang. Danach ... sollten wir uns irgendwo versteckt halten.« Sie schauderte.

Jazz wusste nichts von ESP, aber von Menschen verstand er einiges. »Du bist eine verdammt tapfere Frau!«, sagte er, und im gleichen Augenblick wunderte er sich über sich selbst, denn Komplimente kamen ihm für gewöhnlich nicht leicht über die Lippen. Aber es war ernst gemeint gewesen.

Das war auch ihr klar, doch sie widersprach ihm. »Nein, bin ich nicht«, sagte sie ernst. »Vielleicht war ich das einmal, aber nun bin ich ein schrecklicher Feigling. Das wirst du bald genug herausfinden.«

»Dann berichte mir bitte vorher noch von den unmittelbar bevorstehenden Gefahren, falls welche existieren. Du hast die Sonnenseiter erwähnt – Nomaden? – und dass sie hinter dir her seien. Und ebenfalls, dass du auch die Wamphyri auf den Fersen hast. Kannst du mir den Zusammenhang erklären?«

»*Sonnenseiter!*«, hauchte sie, doch nicht als Antwort auf seine Frage. Sie blieb steif stehen und blickte sich wild um. Vor allem in die Zone des Schattens, der von den östlichen Abhängen geworfen wurde. Anscheinend unbewusst wischte sie sich mit einer zitternden Hand die Stirn ab. Wolfs Fell sträubte sich. Er duckte sich, legte die Ohren an und grollte leise und tief.

Jazz nahm seine Maschinenpistole von der Schulter, prüfte kurz das Magazin nach und entsicherte die Waffe. »Zek?«, raunte er.

»*Arlek!*«, flüsterte sie. Und: »Das kommt davon, wenn ich aus Rücksicht auf dich nicht nach Gedanken lausche. Jazz, ich ...«

Dann hatte sie keine Zeit mehr zum Weitersprechen, denn es kam knüppeldick!

DRITTES KAPITEL

Etwas mehr als eine Stunde zuvor

Karl Vyotsky fuhr vorsichtig – immer nach Fledermäusen Ausschau haltend – auf seinem Motorrad in Richtung jener bizarr geformten Felstürme, die wie Wachtposten im Osten aufragten. Zuerst wollte er instinktiv auf den Pass und den schmalen Rand der Sonnenscheibe zu fahren, der am oberen Ende des V-förmigen Taleinschnitts zu sehen war. Doch auf halbem Weg war die Sonne untergegangen, und nur noch einige verlorene Strahlen bildeten einen blassroten Fächer am südlichen Himmel.

Die Bergkette, die sich in östlicher und westlicher Richtung hinzog so weit das Auge reichte, war nur noch ein schwarzer Umriss, auf dem hier und da ein golden schimmernder Fleck auftauchte, wo die Mondstrahlen auf eine reflektierende Oberfläche fielen. Der Himmel über den Bergen war indigofarben. Nur wenige verblassende Sonnenstrahlen hellten ihn noch auf. Da offensichtlich eine lange Nacht anbrach, zog Vyotsky das offene Gelände unter dem Mond der tiefen Schwärze des Bergpasses vor. Wie sollte er auch wissen, dass auf der anderen Seite der Bergkette der helle Tag noch etwa zwei seiner gewohnten irdischen Tage lang vorherrschen würde.

Und deshalb hatte er mit eingeschaltetem Scheinwerfer einen Bogen beschrieben und war in Richtung der Felstürme weiter gefahren. Seine Augen passten sich langsam den Lichtverhältnissen an, und während sich die Kilometer unter seinen nicht ganz gleichmäßig laufenden Rädern abspulten, spähte er immer wieder neugierig zu jenen rätselhaften Felshorsten hinüber, die vierzehn oder fünfzehn Kilometer entfernt im Osten aufragten. Waren das Lichter, was er ganz oben auf den Türmen entdeckte? Falls ja, falls dort oben Wesen wohnten, wie mochten sie dann wohl aussehen? Dann hatte er die Fledermäuse entdeckt. Aber das waren nicht die winzigen, mausähnlichen Tiere, die er von der Erde her kannte!

Drei davon – jede einen Meter von Flügelspitze zu Flügelspitze – waren plötzlich auf ihn herabgestoßen, so dass er ausweichen musste und beinahe gestürzt wäre. Ihre membranartigen Hautflügel hatten mit ihrem weichen, gleichmäßigen *Wupp-Wupp-Wupp* einen deutlichen Luftzug erzeugt, der ihn gerade noch streifte. Sie schienen derselben Spezies anzugehören wie jenes Wesen bei Begegnung 4: *Desmodus*, der Vampir. Vyotsky hatte keine Ahnung, was sie angelockt haben mochte. Vielleicht das Knattern der Maschine, das laut und fremdartig die unheimliche Stille dieser Ebene zerriss? Doch als dann eine der Fledermäuse direkt in seinen Scheinwerferstrahl geflogen war ...

Die Kreatur war augenblicklich aus der Flugbahn geraten und hatte unkontrollierte, ja panikartige Kurven beschrieben. Dann war sie nach oben geschossen und hatte dabei einen hohen, schrillen Schrei ausgestoßen – sicherlich größtenteils im Ultraschallbereich – der Vyotsky Ohrenschmerzen bereitet und bei den beiden anderen Fledermäusen ebenso schrille Reaktionen hervorgerufen hatte. Das hatte den Russen auf eine Idee gebracht, wie er sie loswerden könne. Möglicherweise waren sie völlig harmlos und lediglich neugierig. Vampire oder nicht, mit Sicherheit würden sie es nicht riskieren, einen Mann im Besitz seiner vollen Kräfte anzugreifen. Er hatte nun allerdings reichlich damit zu tun, die schwere Maschine über diesen steinigen Boden zu steuern. Es gab Risse im trockenen, staubigen Erdboden dieser Ebene, und überall lagen Steine bis zur Größe von Felsblöcken im Weg. Er musste sich unbedingt auf das Fahren konzentrieren und keine Energie auf diese drei riesigen Flederwische verschwenden!

Also hatte er angehalten, eine starke Handlampe aus dem Gepäck gezogen und gewartet, bis die Fledermäuse sich wieder in seine Nähe wagten. Diejenige, die er zuvor bereits geblendet hatte, hielt sich merklich zurück, flog zuerst nur etwas höher – wie auf Patrouille – und kam erst tiefer herab, als ihn die anderen beiden umkreisten. Dann stürzten sich die beiden geradewegs auf ihn, aber Vyotsky war vorbereitet. Er schaltete die Lampe ein und strahlte die Angreifer mit ihrem gleißend hellen Licht an. Totale Verwirrung war die Folge! Die beiden prallten zusammen und fielen in einem flatternden Wirrwarr zu Boden. Dort entwirrte sich das Knäuel schnell wieder, und sie hüpften unter schrillem Alarmgeschrei umher. Eine schaffte es gerade noch rechtzeitig: Sie flatterte mühsam empor und aus Vyotskys Reichweite. Die andere hatte nicht so viel Glück.

Vyotskys Maschinenpistole zerhackte das Ding fast in zwei Hälften. Das Blut spritzte auf die nahen Felsblöcke. Und als die Echos verflogen, die das trockene Knattern der Waffe hervorgerufen hatte, waren die beiden überlebenden Fledermäuse verschwunden. Zum Abschied hatte er noch ein paarmal kräftig auf die Hupe gedrückt ...

Das hatte sich vor zwanzig Minuten abgespielt, und seither war er nicht mehr belästigt worden. Ihm war wohl bewusst, dass kleine Schatten hoch über ihm seinem Weg folgten, aber nichts war in seine Reichweite gekommen. Er war froh darüber, denn ihm war eines klar: Er durfte nicht noch mehr Munition verschwenden, bloß um Fledermäuse umzubringen! Genau wie dieser Engländer, Michael Simmons, wusste er, dass es auf dieser Welt sehr viel Schlimmeres gab als Fledermäuse.

Mittlerweile war er auch in Bezug auf eine andere Beobachtung sicher, nämlich, was die Lichter ganz oben auf den nunmehr sehr viel näheren Felstürmen betraf. Der nächste befand sich nun in etwa acht Kilometern Entfernung, die anderen bildeten ein unregelmäßiges Muster auf der Ebene dahinter. Die hintersten verschwammen in der Entfernung und erschienen sogar im hellen Mondschein immer kleiner und verschwommener. Um die Sockel waren Geröll und Schutt aufgehäuft, die man mit Wällen und Mauern befestigt hatte. Im streifigen Schichtgestein des nächstgelegenen Turms flackerten unaufhörlich Lichter; Rauch quoll in den dunkelblauen Himmel und verdeckte über vielen halb verborgenen Kaminen die blassen Sterne; kleinere Bauten schmiegten sich an zerklüftete Felswände, wo nur schmale Vorsprünge solche Bauarbeiten überhaupt möglich gemacht hatten. Doch die mächtigen Steingebilde, die jene massiven Türme krönten, konnte man nur mit einem Wort beschreiben: Burgen!

Wer hatte sie erbaut, wie und warum? Das alles musste er herausfinden, aber zumindest in einem war Vyotsky sicher: Sie waren das Werk von Menschen. Von kriegerischen Menschen! Der Art von Menschen, mit denen der große Russe auskommen konnte – hoffte er zumindest. Ganz sicher waren es starke Menschen. Wieder wanderte sein Blick hoch zu dem mächtigen, düsteren Bauwerk, das wie ein finster brütender Wachturm über das Land ausblickte.

Kurze Zeit später kehrte sein Blick gerade noch rechtzeitig zu dem steinübersäten Gelände vor seiner Maschine zurück, um eine Vollbremsung einzulegen. Ein Wall aus aufeinander getürmten Steinen schien vor ihm aus dem Boden zu wachsen. Er erstreckte sich nach links weit in die Ebene hinein und rechts bis zum Fuß der Berge hin. Der Wall war etwa eineinhalb Meter hoch und am Fuß ebenso breit. Natürlich war er von Menschen errichtet worden, aber was stellte er dar? Eine Grenze ...?

Der Russe wendete seine Maschine und fuhr nach Süden weiter. Bis in die Vorhügel der Bergkette fuhr er, und konnte dennoch keine Lücke im Wall entdecken. Vor ihm zog er sich bis zu einem steil und glatt aufragenden Felsvorsprung hin, der für sein Motorrad nicht zu bewältigen war. Er hatte es gar nicht erst versucht. Frustriert wendete er erneut und blieb eine Weile stehen, um nachdenklich den nächstgelegenen Felsturm zu betrachten.

Von seinem hochgelegenen Standort aus war die Sicht um einiges besser als zuvor. Er ertappte sich dabei, wie er die Ausmaße dieser gewaltigen Säulen im Kopf überschlug: Diese hier wies an der Basis einen Durchmesser von etwa zweihundert Metern auf. Bis zu der ungefähr halb so breiten Krone mit den Festungsbauten darauf zog sich die Säule bestimmt eineinhalb Kilometer in die Höhe! Sie war genauso natürlich wie die grotesken Gebilde im Grand Canyon und wirkte einfach ihrer

Größe und der Festungsanlagen wegen so ungeheuer beeindruckend. Als sein Blick an diesem natürlichen Wolkenkratzer entlang hoch streifte, bemerkte er Bewegung in der Dunkelheit eines weiten Höhleneingangs nahe der Krone.

Er kniff die Augen zusammen und versuchte angestrengt, Genaueres zu erkennen. Was war denn ... *das?*

Ganz unten in seinem großen Rucksack, den er ziemlich gedankenlos und hastig gepackt hatte, musste ein Feldstecher liegen. Schön und gut, aber er hatte jetzt nicht die Zeit, lange danach zu kramen. Doch diese Säule mit ihren die Schwerkraft Lüge strafenden Bauwerken, mit den düster dräuenden Festungsanlagen und der regen Aktivität oben ...

Etwas warf sich aus der hochgelegenen Höhle in die Luft hinaus!

Vyotsky lief es kalt den Rücken hinab, und er verzog die Lippen, die ihn nach Simmons' Ellbogencheck immer noch schmerzten. Er holte tief Luft und blickte angestrengt hinauf, um festzustellen, was dort wie eine aufquellende schwarze Wolke durch die Luft schoss und anschließend wie eine einzige große Tragfläche langsam um die Felssäule kreiste und dabei schnell an Höhe verlor.

Und im nächsten Augenblick wurde das Gesicht des Russen totenblass, als ihm klar wurde, worum es sich bei diesem fliegenden *Ding* handeln mochte: einen Zwilling jenes Wesens aus Begegnung Nr.1! Einen Riesendrachen am Himmel dieser fremden Welt!

Vyotsky war vor Angst wie gelähmt – allerdings nur einen Augenblick lang. Es war der falsche Moment, um in Panik zu verfallen. Er schaltete den Motor ab und rollte im Schutz des Walls im Leerlauf lautlos hinunter in die Ebene. Dort entdeckte er einen massiven Felsvorsprung, in dessen Schatten er die Maschine abstellte. Der Mond, der sich bemerkenswert schnell über den Himmel bewegte, stand nun fast gerade über ihm, was das Verbergen erschwerte. In dem bisschen Schatten, der ihm zur Verfügung stand, öffnete der Russe mühsam seine Tornister, suchte und lud schließlich die MP mit einem neuen Magazin. Ein Weiteres steckte er in eine Tasche seines Overalls. Dann machte er auch seinen kleinen Flammenwerfer bereit und dachte: *Mann, der wird mir gegen dieses Ding aber eine große Hilfe sein!*

Das ›Ding‹ hatte mittlerweile einen zweiten und einen dritten Kreis um die Felssäule gedreht und befand sich jetzt in etwas weniger als dreihundert Metern Höhe. Mit einem Mal beschrieb es eine scharfe Kurve auf die Ebene zu und wurde rasch größer, als es in einer ganzen Anzahl von Gleitpassagen und damit abwechselnden Sinkmanövern geradewegs auf Vyotskys Versteck zuflog. Nun wusste er, dass es keinen Zweck mehr hatte, sich noch länger verbergen zu wollen, und die Hoffnung, das Ding sei nur zufällig losgeflogen, konnte er ohnehin vergessen. Das ... Geschöpf wusste genau, dass er sich hier unten befand und suchte nach ihm!

Es flog ein wenig nördlich von ihm vorbei und warf dabei einen Schatten, der wie ein riesiger Tintenklecks über die Ebene floss. Vyotsky nutzte die Gelegenheit, blickte auf und bemühte sich, die Größe des Wesens zu schätzen. Er war allerdings nicht wesentlich erleichtert, als er feststellte, dass es nicht annähernd so groß und fürchterlich war wie jene mörderische Bestie, die halb Perchorsk zerstört hatte. Auf fünfzehn Meter Länge, bei einer etwas größeren Flügelspannweite, schätzte er es. Die Form erinnerte ihn an Mantas, diese Rochenart, die in den warmen Meeren der Erde lebte. Ein langer Schwanz diente wohl dazu, im Flug das Gleichgewicht zu halten und zu steuern. Doch im Unterschied zum Manta wies es auf der Unterseite große, lidlose Augen auf, mit denen es nahezu in alle Richtungen gleichzeitig blicken mochte!

Dann kippte das Ding nach links weg und kam zurückgeflogen, wobei es langsamer wurde und weiter sank. Schließlich landete es unter heftigem Schlagen seiner Haut bespannten Flügel, was eine Unmenge von Staub und Kieseln aufwirbelte und Vyotsky die Sicht eine Weile lang verwehrte. Es war nicht mehr als dreißig oder vierzig Meter von ihm entfernt gelandet.

Als sich der Staub wieder legte, sah Vyotsky, dass der ›Kopf‹ unkontrolliert und ziellos hin und her wackelte.

Unkontrolliert – ja, das war die richtige Bezeichnung. Denn nun erkannte der Russe auch das Zaumzeug und den leeren, aus kunstvoll verziertem Leder gefertigten Sattel auf dem Rücken des Tieres. Vor allem aber erspähte er den Mann, der daneben auf dem Boden stand und in Richtung seines Verstecks blickte. Zumindest vermochte er zu erkennen, dass das kein Mensch war, jedenfalls nicht ganz. Es war ein Mann von jener Art, wie er auf dem Laufsteg um das Tor in Perchorsk verbrannt worden war: ein Wamphyri-Krieger!

Er starrte direkt herüber, als könne er Vyotsky genau sehen. Doch dann begann er sich langsam um dreihundertsechzig Grad zu drehen. Bevor er das Gesicht vollständig abgewandt hatte, sah Vyotsky noch die roten Augen wie kleine Feuer aufglimmen. Allerdings bereitete dem Russen die handschuhartige Waffe an der Rechten des Kriegers mehr Kopfzerbrechen als dessen Gesicht. Ihm war bewusst, was diese Waffe anzurichten vermochte. Aber nicht mit Karl Vyotsky! Diesmal nicht!

Der kräftige Russe verharrte ganz still im Schatten, rührte sich nicht, atmete kaum, wagte nicht, mit der Wimper zu zucken. Der Krieger vollendete seine Drehung und sah dann einen Moment lang hoch zu der Burg auf der Krone der Felssäule. Er spreizte die Beine, stützte die Hände auf die Hüften und neigte den Kopf zur Seite. Und nun begann er zu pfeifen – ein so schrilles und hohes, fast unhörbares Pfeifen, dass Vyotsky vor allem Druck auf den Trommelfellen verspürte.

Und vom Himmel fielen prompt zwei vertraute Gestalten. Sie umkreisten den Krieger einmal und flatterten sodann direkt auf Vyotsky zu, der zwischen überhängenden Felsklötzen kauerte. Ihr Angriff brachte den Russen einen Moment lang völlig aus dem Gleichgewicht.

Eine der Fledermäuse traf Vyotsky beinahe mit einem Flügel, so dass er sich ducken musste, um dem Schlag auszuweichen. Dabei klapperte der kurze Lauf seiner MP gegen einen Felsen, und damit war seine Tarnung dahin. Der Krieger blickte erneut in seine Richtung, pfiff seine Fledermäuse zurück und schritt zu ihm herüber. Jetzt lag keine Unsicherheit mehr in seinem Schritt. Er wusste, wo sich sein Opfer versteckte. Seine roten Augen glühten, und er grinste eigenartig – sardonisch. Mit einem Ruck seines Kopfes warf er die Stirnlocke zurück und schritt stolz, hoch aufgerichtet und mit durchgedrücktem Kreuz auf den Russen zu.

Vyotsky ließ ihn auf zwanzig Schritt herankommen, bevor er aus dem Schatten trat und im gelben Schein des Halbmonds klar sichtbar auf der Ebene stand. Er zielte auf den anderen und rief laut: »*Halt!* Bleib stehen, wo du bist, mein Freund, sonst ist dein Leben beendet!« Doch seine Stimme klang zittrig und nicht überzeugend. Der Krieger bemerkte das wohl und ließ sich nicht aufhalten.

Vyotsky wollte ihn nicht töten. Er musste ja irgendwie hier überleben, und nicht einer durchaus möglichen Blutrache für den Tod dieses heidnischen Schurken zum Opfer fallen. Verhandeln schien ihm viel eher angebracht, wenn er eine ganze Welt gegen sich hatte. So schaltete er seine Maschinenpistole auf Einzelschuss und feuerte nur einmal – über den Kopf des Kriegers hinweg. Die Kugel zupfte an dessen Stirnlocke, so knapp hatte der Russe darüber gehalten. Sofort blieb der Krieger stehen, blickte auf und schien zu wittern. Und Vyotsky rief ihn erneut an: »Lass' uns verhandeln, ja?« Er hielt die freie Hand hoch, mit der leeren Handfläche zum anderen gewandt, und senkte den Lauf der MP, so dass sie auf den steinigen Boden zielte. So konnte er am besten seine Friedensbereitschaft signalisieren. Doch gleichzeitig legte er den Hebel um und schaltete auf Dauerfeuer. Wenn er das nächste Mal abzog, dann richtig.

Der Krieger hob eine Hand und berührte seine Stirnlocke. Dann senkte er die Hand wieder und schnüffelte misstrauisch daran. Seine platte Nase mit den großen Nasenlöchern wirkte ein wenig wie ein Schweinerüssel. Dann riss er die Augen ganz weit auf und grollte etwas, das Vyotsky beinahe verstand. Es klang so ähnlich wie: »Was? Du wagst es, mich zu bedrohen?« Anschließend hob er die Rechte in einer Art Gruß an seine rechte Schulter. Der Kampfhandschuh blieb zunächst geschlossen, und erst in Schulterhöhe öffnete er ihn und zeigte die bekannte Anordnung von Klingen, Haken und Klauen.

Er duckte sich kampfbereit und wollte sich offensichtlich im nächsten Augenblick auf Vyotsky stürzen. Doch der kräftige Russe wartete nicht erst. Auf eine Entfernung von nur sechs oder sieben Schritt konnte er den Gegner kaum verfehlen. Er zog den Abzug der MP durch, um dem Krieger eine ganze Bleigarbe in den Körper zu jagen – und hatte Pech! Mit dieser Waffe schien er ständig Pech zu haben. Denn nur drei oder vier Schuss verließen den Lauf, und dann klemmte das Magazin der MP.

Der erste Schuss hatte eine rote Furche an der linken Körperseite des Kriegers hinterlassen. Das rohe Fleisch zeigte sich, als habe eine grobe Säge seinen Leib geöffnet. Der nächste hatte seine Schulter unterhalb des rechten Schlüsselbeins genau am Schultergelenk durchbohrt. Zwei weitere Schüsse hatten ihn verfehlt. Doch die beiden Treffer waren wie Hammerschläge gewesen, die jeden Soldaten der Erde ausgeschaltet hätten. Allerdings – dies war nicht die Erde, und das Ziel war nicht bloß ein einfacher Mensch.

Dieser Krieger war zunächst von dem Einschlag in seine Schulter herumgerissen worden und zu Boden gestürzt, aber im nächsten Moment setzte er sich schon wieder auf und sah sich benommen um. Vyotsky riss fluchend das Magazin aus der Halterung, lud leer durch und sah hinein. Eine nicht abgefeuerte Patrone steckte fest. Er schüttelte die Waffe wild, damit sich die Patrone wieder löste, doch umsonst. Er hätte sie vorsichtig mit Hilfe eines Werkzeugs lösen müssen. Aber mittlerweile stand sein Gegner schon wieder auf unsicheren Beinen.

Vyotsky hängte die nutzlose MP an seinen Gürtel und löste dafür den Stutzen des Flammenwerfers. Er entsicherte ihn und knallte die flache Hand auf den Zündschalter. Als der verwundete Krieger erneut auf ihn zu stolperte, wagte Vyotsky noch einen Versuch und hielt ihm wieder die leere Handfläche entgegen. Vielleicht hielt der andere die Geste für eine Beleidigung; jedenfalls grollte er lediglich wütend zurück. Und dann – obwohl der Russe seine rechte Schulter durchschossen hatte – hob er den Arm mit dem Kampfhandschuh, bewegte dessen schreckliches Instrumentarium und zeigte es seinem Gegner.

»Es reicht!«, knurrte der Russe. Er ließ den anderen auf drei oder vier Schritt an sich heran, zielte mit dem Stutzen seines Flammenwerfers und drückte ab. Die kleinen, zuckenden blauen Flämmchen verdickten sich zu einer sengenden, tosenden Feuerlanze, die über die gesamte linke Körperseite des Kriegers hinweg strich. Brennend schrie er vor Schmerz und Angst lauthals auf, sprang mit einem verzweifelten Satz vor dem Feuerstrahl weg, warf sich zu Boden und wälzte sich über Staub und Steinchen, um die Flammen zu löschen. Wankend stemmte er sich hoch, kam auf die Beine und taumelte zu seinem eigenartigen Reittier hinüber. Doch nun wollte Vyotsky das, was er angefangen hatte, auch zu Ende führen.

Er ging dem qualmenden Krieger hinterher, zielte ein zweites Mal mit dem Stutzen – und erstarrte!

Der Wamphyrikrieger rief nach seinem Reittier, bellte harte und schmerzerfüllte Befehle, und das Tier hörte ihn und gehorchte. Der große graue Rumpf schien sich zusammenzuziehen, während die Flügel sich zu mächtigen Segeln spreizten. Sie schlugen gewaltig, peitschten die Luft, und das riesige Tier kämpfte sich mühevoll empor. Was auf Vyotsky wie ein Gewirr langer rosafarbener Würmer wirkte, stieß sich, unter dem Leib des Tieres hängend, zusätzlich noch vom Boden ab – und so erhob sich ein klumpiges, dickes, lepröses Zelt in die Luft. Es zog die Wurmenden ein, der lange Mantaschwanz war ausgestreckt und peitschte von einer Seite zur anderen. Als es höher flatterte, bildeten sich wieder Augen auf der Unterseite und spähten zugleich in alle Richtungen. Und dann hatten sie den Russen entdeckt.

Vyotsky trat ein paar Schritt zurück. Das fliegende Geschöpf stützte auf ihn herunter. Der huschende, fischähnliche, tintenschwarze Schatten überholte ihn. In der gummiartigen Unterseite des Tieres öffnete sich ein riesiges, mit Haken gespicktes Maul. Vyotsky stolperte und kam zu Fall. Das Ding schob eine unglaublich stinkende Woge von Luft vor sich her. Ein Hautlappen erfasste ihn, Hornhaken verfingen sich in seiner Kleidung, und kalte, klamme Dunkelheit umfing ihn und schnürte ihn ein.

Sein Finger lag noch am Abzug des Flammenwerfers, doch er wagte nicht, ihn zu benutzen. Wenn er das hier, im Inneren des Wesens, riskierte, würde er sich nur selbst rösten. Es gab Luft zum Atmen, doch sie stank und war ausgesprochen stickig. Der Flug wurde zum entsetzlichen, klaustrophobischen Albtraum, und wollte nicht enden ...

Die Verdauungsgase des riesigen Flugwesens wirkten schließlich wie eine Narkose auf ihn. Ihm war nicht einmal klar, dass er das Bewusstsein verlor; er dämmerte einfach hinüber.

Für Jazz Simmons bedeutete ›knüppeldick‹: Er hatte ungefähr fünf Sekunden Zeit, um sich zum Handeln zu entschließen, und es hätte wirklich schlimm ausgehen können, wäre nicht Zek Föener dabei gewesen, die ihn zurückhielt. Gut, er hatte lediglich zwei Sekunden benötigt, nachdem sich die kleineren Schatten aus dem großen unter der Klippe lösten, aber da warnte ihn Zek bereits: »Jazz – nicht schießen!«

»Was?«, fragte er ungläubig. Die Schatten wurden zu Menschen, die heran rannten und die beiden umringten. »Nicht schießen? Kennst du diese Leute?«

»Ich weiß, dass sie uns nichts tun werden«, hauchte sie. »Wir sind lebendig für sie mehr wert als tot, und solltest du auch nur einen Schuss abfeuern, lebst du bereits nicht mehr, wenn sein Echo zu uns zurückkommt! Jetzt sind vermutlich schon ein halbes Dutzend Pfeile und Speere auf dich gerichtet. Und auf mich wahrscheinlich auch.«

Jazz richtete die Mündung seiner Waffe zum Himmel, wenn auch nur langsam und mürrisch. »So was nennt man wohl ›an seine Freunde glauben«, grollte er ohne jeden Humor in der Stimme. Und er musterte die misstrauische, geduckte Bande von Männern, die sie umstellt hatte. Einer von ihnen richtete sich endlich auf, streckte das Kinn vor und wandte sich an Zek. Er sprach ein hart und guttural klingendes Kauderwelsch, einen Dialekt oder eine Sprache, von der Jazz das Gefühl hatte, er sollte sie eigentlich verstehen. Und Zek antwortete in einer Sprache, die er tatsächlich verstand! Es war ein sehr vereinfachtes und leicht verdrehtes Rumänisch!

»Ho, Arlek Nunescu«, sagte sie, und weiter: »Reiße die Berge nieder und lasse die Sonne die Burgen der Wamphyri schmelzen, aber was soll das hier? Überfallt und belästigt ihr jetzt andere Traveller?«

Nun, da Jazz die Sprache erkannt hatte, konnte er sich erheblich besser darauf konzentrieren, das Gesagte zu verstehen. Er kannte die romanischen Sprachen nicht sehr gut, aber doch immerhin gut genug. Sein Vater hatte ihm einiges beigebracht, während des Studiums hatte er etwas dazugelernt, und der Rest war purer Instinkt. Er hatte immer schon über sehr viel Sprachgefühl verfügt.

Der Mann Arlek – ja, alle diese Männer, die sie umringten, und die anderen, die jetzt aus ihrem Versteck traten – waren Zigeuner. Jedenfalls war das Jazz' erster Eindruck: Sie mussten Roma sein! Das sah er ihnen so deutlich an, wie jenen Roma auf der anderen Seite der Torwelt. Dunkelhaarig, mit Schmuck behängt, mager und mit dunklem Teint, das Haar lang und ölig, die Kleidung lose hängend: Sie hatten einen gewissen typischen Stil und Flair. Das Einzige, was nicht zu diesem Gesamteindruck passte, waren die Armbrüste, die einige von ihnen trugen, und die scharf zugespitzten Hartholzstöcke von anderen. Davon einmal abgesehen, hatte Jazz diese Art von Menschen in allen möglichen Ländern der Welt angetroffen – der alten Welt jedenfalls.

Zigeuner, Kesselflicker, Scherenschleifer, Musiker und ... Kartenleser und Wahrsager?

»Reiße die Berge nieder, ja«, beantwortete Arlek nun ihren

Gruß, allerdings recht bedächtig und nachdenklich. »Du weißt, was du zu sagen hast, Zekintha, weil du es aus den Hirnen der Traveller stiehlst. Aber wir haben ›reiße die Berge nieder‹ schon seit Menschengedenken gesagt, seit sehr langer Zeit, und sie stehen immer noch. Und so lange die Berge stehen, werden die Wamphyri in ihren Burgen leben. Also sind wir unser Leben lang unterwegs, denn am gleichen Ort zu verweilen, wäre tödlich. Ich habe die Zukunft gelesen, Zekintha, und sollten wir euch Schutz gewähren, werdet ihr das Verderben über Lardis und seine Familie bringen. Doch wenn wir euch den Wamphyri ausliefern ...«

»*Hah!*« Ihr Tonfall klang verächtlich. »Du bist tapfer, so lange Lardis Lidesci sich im Westen befindet und nach einem neuen Lager für euch sucht, das die Wamphyri nicht überfallen werden. Und wie willst du ihm alles erklären, wenn er zurückkehrt? Wie willst du ihm beibringen, dass du mich ausgeliefert hast? Wie? Du würdest eine Frau opfern, um seine größten Feinde zu beschwichtigen und sie stärker zu machen? So handelt ein Feigling, Arlek!«

Arlek holte tief Luft. Er richtete sich auf, trat einen Schritt auf sie zu und hob eine Hand, als wolle er sie schlagen. Sein ohnehin dunkles Gesicht war noch dunkler angelaufen.

Jazz senkte die Mündung seiner MP und stupste damit Arleks Schulter. Er zielte anschließend genau auf das linke Ohr des anderen. »Tu's nicht!«, warnte er ihn in der Sprache dieser Menschen. »Was ich von dir gesehen und gehört habe, Arlek, nötigt mir nicht viel Achtung ab, aber wenn du mich zwingst, dich zu töten, werde ich wohl auch sterben.« Er hoffte, dass sein eigenes Kauderwelsch für den anderen verständlich sei.

Offensichtlich verstanden sie ihn. Arlek zog sich zurück und rief zwei seiner Männer heran. Sie traten auf Jazz zu, und er zeigte ihnen in einem kalten Grinsen die Zähne, und die Maschinenpistole zeigte er ihnen ebenfalls recht deutlich.

»Gib's ihnen!«, sagte Zek.

»Ich überlegte mir gerade dasselbe«, antwortete er aus dem Mundwinkel heraus.

»Du weißt genau, was ich meine«, schalt sie ihn. »Gib ihnen die Waffe!«

»Bewirkt deine telepathische Gabe, dass du dich nackt in die Löwengrube begeben musst?«, fragte er sie. Einer der Zigeuner hatte den Lauf der MP ergriffen, ein anderer hielt Jazz' Handgelenk fest. Ihre Augen waren tief, dunkel und wachsam. Jazz war sich der auf ihn gerichteten Armbrüste bewusst, doch trotzdem sprach er gelassen weiter: »Also? Du bist am Zug, Zek!«

»Wir können nicht zur Sternseite zurück«, erklärte sie ihm hastig, »und die Traveller bewachen den Weg zur Sonnenseite. Selbst wenn wir den Kopf aus dieser Schlinge ziehen und ihnen entkommen, würden sie uns irgendwann wieder aufspüren. Gib ihnen schon die Knarre. Für den Augenblick sind wir ja wenigstens in Sicherheit.«

»Gegen mein besseres Wissen«, grollte er. »Aber ich schätze, uns bleibt nichts anderes übrig.« Er nahm das Magazin heraus und steckte es in die Tasche. Dann übergab er ihnen die Waffe.

Arlek lächelte schief. »Das auch«, sagte er und deutete auf Jazz' Tasche. »Und den Rest deiner ... Sachen.«

Diese Sprache zu hören, sie zu benutzen, beflügelte Jazz. Sein Sprachgefühl übernahm die Führung, und er fand die richtigen Worte: »Du verlangst zu viel, Traveller«, sagte er. »Ich bin ... ein freier Mann wie du. Freier als du sogar, denn ich mache keine Geschäfte mit den Wamphyri, damit sie mich am Leben lassen.«

Arlek war verblüfft. Er fragte Zek: »Liest er auch die Gedanken in unseren Köpfen?«

»Ich höre nur meine eigenen Gedanken«, kam Jazz ihr zuvor, »und ich spreche auch nur mit meinen eigenen Worten. Sprich nicht *über* mich, sprich *mit* mir!«

Arlek blickte ihn offen an. »Also gut«, sagte er. »Gib uns deine Waffen und all diese ... Sachen. Wir wollen sie, damit du sie nicht gegen uns verwenden kannst. Du bist ein Fremder aus Zekinthas Welt, das geht aus deiner Kleidung und deinen Waffen hervor. Warum sollten wir dir trauen?«

»Und warum sollte irgendjemand *dir* trauen?«, warf Zek ein, während Arleks Männer Jazz' Ausrüstung an sich nahmen. »Du hintergehst deinen eigenen Stammesführer, sobald er weg ist, um einen sicheren Ort für euch zu suchen!«

Um gerecht zu sein: Einige unter den ›Travellern‹ traten verlegen von einem Fuß auf den anderen oder blickten verschämt zu Boden. Doch Arlek fuhr Zek wütend an: »Hintergehen? Du wirfst mir vor, ich hintergehe Lardis? In dem Moment, als er dir den Rücken kehrte, bist *du* geflohen! Und wohin, Zekintha? In deine eigene Welt, obwohl du behauptet hattest, dass es für dich keinen Weg zurück gibt? Um einen Streiter für dich zu suchen – vielleicht diesen Mann? Oder um dich den Wamphyri anzuschließen und Macht zu gewinnen? Ja, ich wollte dich ihnen ausliefern, aber nur im Austausch gegen die Sicherheit meines Volkes, und nicht, um selbst Ruhm zu gewinnen!«

»Ruhm!«, höhnte Zek. »Niedertracht nennt man das bei uns!«

»Also, das ...« Ihm verschlug es die Sprache.

Jazz war mittlerweile seine Waffen und sein Gepäck losgeworden, nicht aber seinen Stolz. Seltsam. Nun, da er nur noch seinen Kampfanzug besaß, fühlte er sich sicherer als zuvor. Er wusste, dass man ihn nun nicht mehr aus bloßer Angst vor der Zerstörungskraft seiner furchtbaren Waffen erschießen würde. Jetzt hieß es lediglich noch Mann gegen Mann. Obwohl er nicht alles verstand, was Arlek sagte, und obgleich vieles von dem, was er verstand, durchaus der Wahrheit entsprechen mochte, passte ihm Arleks Ton Zek gegenüber überhaupt nicht. Er packte den Nomaden an der Schulter und riss ihn herum, damit er ihm in die Augen sehen konnte. »Du reißt Frauen gegenüber ganz schön die Klappe auf«, grollte er.

Arlek starrte Jazz' Hand, die seine Jacke gepackt hielt, überrascht an. »Du musst noch eine Menge lernen, ›freier Mann‹«, zischte er, und dann schlug er mit der geballten Faust nach Jazz' Gesicht. Diese Reaktion war vorhersehbar gewesen. Jazz duckte sich unter der Faust weg. Für ihn war das wie eine Rauferei mit einem ungeschickten, ungeschulten Jungen. Niemand in Arleks Welt hatte je von Kampfkunst gehört, von Judo, Karate oder

Ähnlichem. So schlug er den anderen mit zwei blitzschnellen, trockenen Schlägen zu Boden. Und zum Lohn wurde auch er blitzschnell niedergestreckt! Denn von der Seite her zog ihm einer der Traveller den Schaft seiner eigenen MP über den Schädel.

Als er das Bewusstsein verlor, hörte er gerade noch Zek schreien: »Tötet ihn nicht! Tut ihm nichts an! Er könnte genau *der* Mann sein, der euch am Ende den Frieden bringt, der die Antwort auf all eure Fragen darstellt!« Dann spürte er einen Augenblick lang ihre schmalen, kühlen Finger auf seinem brennenden Gesicht, und danach ... war da nur noch kalte, alles umschließende Finsternis.

VIERTES KAPITEL

Als Jazz Simmons wieder zu Bewusstsein kam, sah er, dass er nach wie vor am gleichen Fleck lag, nur waren jetzt seine Hände auf dem Rücken gefesselt. Zek, die frei geblieben war, tupfte seine Stirn und Lippen mit einem feuchten Tuch ab. Sie seufzte erleichtert, als er zu sich kam.

Arlek saß auf einem abgeflachten Stein in der Nähe und beobachtete Zeks Bemühungen. Andere Clanmitglieder waren in dem mittlerweile etwas längeren Schatten beschäftigt und unterhielten sich dabei leise. Als Jazz sich mühsam aufrichtete, stand Arlek auf und kam zu ihm. Er befühlte eine Beule unter seinem Ohr, wo ein Hieb von Jazz ihn getroffen hatte, und sein rechtes Auge färbte sich allmählich blau und schwoll zu.

»Ich habe noch nie jemanden so wie dich kämpfen sehen«, sagte er mit leichter Bewunderung in der Stimme zu seinem Gefangenen. »Ich habe nicht einmal erkannt, wie du zugeschlagen hast!«

Jazz knurrte, lehnte sich an einen Felsen und zog die Beine ein wenig an. »So sollte das auch sein«, sagte er. »Ich könnte dir noch eine ganze Menge beibringen, beispielsweise, wie man gegen die Wamphyri kämpft. Dafür waren auch meine Waffen bestimmt: Sie sollten in einer Welt mein Leben schützen, wo Wesen wie die Wamphyri regieren. Wo zum Teufel stehen die Menschen eigentlich in der Rangfolge der Wesen auf dieser Welt? Warum mit den Wamphyri verhandeln und vor ihnen katzbuckeln, wenn man sie bekämpfen kann?«

Trotz des noch immer schmerzvoll verzogenen Gesichts lachte Arlek schallend. Andere der Travellers hörten ihn und kamen heran, worauf er ihnen schnell berichtete, was Jazz gesagt hatte. »Tatsächlich – die Wamphyri bekämpfen? Wir haben lediglich das Glück, dass sie sich ständig untereinander bekämpfen! Aber sich ihnen entgegenstellen? *Ha!* Du weißt nicht, was du da sagst! Sie kämpfen nicht gegen Sonnenseiter; sie machen sie lediglich zu ihren Sklaven. Hast du mal einen ihrer Krieger *gesehen?* Natürlich nicht, sonst stündest du jetzt nicht hier. Deshalb sind wir ja fahrendes Volk, denn am gleichen Ort zu bleiben, heißt auch, ihnen auf Gnade oder Ungnade ausgeliefert zu sein! Man ›bekämpft‹ die Wamphyri nicht, mein dummer Freund, man geht ihnen aus dem Weg, solange es möglich ist.«

Er wandte sich ab und schritt mit seinen Anhängern davon. Dann drehte er sich noch einmal um und rief: »Sprich mit der Frau! Es ist höchste Zeit, dass sie dir etwas über die Welt berichtet, auf die du gekommen bist. Dann wirst du zumindest begreifen, warum ich euch beide Shaithis von dem Wamphyri übergeben werde.«

Wolf schlich aus den Schatten hervor, kam zu Jazz und leckte über dessen Gesicht. Jazz blickte das Tier finster an. »Na, wo warst du denn, als Zek und ich kämpften?«

»Als *du* mit ihnen raufen musstest«, verbesserte sie ihn. »Wolf hatte nichts damit zu tun. Warum sollte ich sein Leben riskieren? Ich habe ihm befohlen, nichts zu unternehmen. Jetzt kommt er gerade von einem Besuch bei seinen Brüdern zurück. Die Traveller haben drei oder vier von seiner Sorte. Sie haben die Welpen großgezogen und gezähmt.«

»Komisch«, sagte Jazz einen Moment später, »du hast auf mich den Eindruck einer Frau gemacht, die sich mit Zähnen und Klauen zur Wehr setzen würde.« Er hatte ihr eigentlich keine Vorhaltungen machen wollen, doch dies kam auf das Gleiche heraus, und er bereute seine Worte augenblicklich.

»Würde ich auch«, erwiderte sie, »wenn es Sinn hätte. Aber ich wäre schön doof, wenn ich ein Dutzend Traveller und ihre Wölfe beißen und kratzen würde, oder? Ich habe zuerst einmal an dich gedacht!«

Jazz seufzte. »Ich schätze, mein Mundwerk war wieder mal schneller als mein Hirn, ja? Aber du hattest doch gesagt, wir seien in Sicherheit!«

»Hätte gut sein können«, sagte sie bedauernd, »aber während du hier lagst, hat Arlek eine Botschaft von einem seiner Kundschafter erhalten, dass sich Lardis Lidesci auf dem Rückweg aus dem Westen befindet. Da er weiß, dass Lardis mich niemals den Wamphyri ausliefern würde, wird *er* das besorgen – und zwar schnell! Wenn Lardis zurück ist, wird es wohl deshalb zum Streit kommen, aber Arlek hat seinen Clan auf seiner Seite, und er glaubt, dass Lardis entweder klein beigeben wird, oder den Stamm aufteilen muss. In jedem Fall ist es für uns zu spät, wenn Lardis ankommt.«

Jazz sagte: »Kannst du mal hinter meinem Ohr nachfühlen? *Au!* Da tut es weh.«

»Da ist es angeschwollen!«, sagte sie, und er glaubte, in ihrer Stimme Sorge mitschwingen zu hören. »Mein Gott, ich hatte befürchtet, du seist tot!« Sie ließ kaltes Wasser über seinen Hinterkopf rinnen, dort, wo die Haare von Blut verklebt waren. Er blickte an ihr vorbei nach Süden, wo die Sonne ein kleines Stückchen weiter gesunken und ein wenig nach Osten gekrochen war.

Ein vereinzelter Sonnenstrahl fiel auf Zeks Gesicht, und so konnte er sie zum ersten Mal genau und aus der Nähe betrachten. Sie war wohl ein bisschen schmutzig, aber unter dem Schmutz eben auch sehr schön. Sie mochte Anfang dreißig sein, nur ein paar Jahre älter als er. Etwa um einen Meter zweiundsiebzig groß, schlank, blond, blauäugig ... Ihr Haar glänzte golden in dem Sonnenstrahl. Als sie sich bewegte, streifte das Licht ihre Schultern. Ihr Kampfanzug wirkte wohl ziemlich zerlumpt, schmiegte sich aber dennoch wie ein Handschuh um ihre Figur und betonte ihre sanften Kurven. Jazz war sich wohl bewusst, dass ihm hier und jetzt jede Frau schön vorgekommen wäre, doch er konnte sich keine vorstellen, die er lieber an seiner Seite gesehen hätte. Oder – gab er innerlich zu – die er lieber *nicht* in dieser Lage an seiner Seite gehabt hätte! Das war gewiss nicht der passende Ort für eine Frau.

»Was wird jetzt also?«, fragte er, nachdem das kalte Wasser die Schmerzen in seinem Nacken und Kopf gelindert hatte.

»Arlek hat mich mit Hilfe eines alten Mannes – Jasef Karis

heißt er – verfolgt«, berichtete Zek. »Es war auch nicht schwierig. Ich konnte ja eigentlich nur ein Ziel haben: durch den Pass zur Sphäre, um festzustellen, ob ich in meine Welt zurückkehren könne. Und Jasef ist Telepath, so wie ich.«

»Du sagtest doch, auch die wilden Tiere hier verfügten in gewissem Maß über ESP«, erinnerte Jazz sie, »aber von den Menschen hast du nichts erwähnt. Ich hatte den Eindruck, dass nur die Wamphyri über solche Fähigkeiten verfügen.«

»Generell stimmt das schon«, gab sie zu. »Jasefs Vater wurde bei einem Überfall der Wamphyri gefangen genommen. Natürlich ist das schon lange her. Er entfloh ihnen und kehrte über die Berge hinweg zurück. Er schwor, sie hätten ihn nicht im geringsten verändert und er sei entkommen, bevor Lord Belath aus ihm einen hirnlosen Zombie machen konnte. Seine Frau nahm ihn natürlich zurück, und später zeugten sie ein Kind: Jasef. Doch dann bekamen sie heraus, dass Jasefs Vater gelogen hatte. Er war von Lord Belath verwandelt worden, doch ihm gelang die Flucht, bevor sich die Veränderung in ihm hatte weiter ausbreiten konnte. Die Wahrheit kam ans Licht, als er schließlich zu einem unkontrollierbaren ... Ding wurde. Die Traveller wussten, wie man damit umzugehen hatte: Sie nagelten es mit Holzpflöcken fest, zerschnitten es in kleine Stücke, und diese verbrannten sie. Und hinterher behielten sie Jasef und seine Mutter sehr genau im Auge. Doch die beiden waren in Ordnung. Jasefs Fähigkeit der Telepathie stammte allerdings von seinem Vater, oder von jenem Ding, das Lord Belath in seinen Körper eingepflanzt hatte.«

Jazz schwamm der Kopf, teilweise der klopfenden Schmerzen von jenem Schlag her, aber auch der vielen Dinge wegen, die ihm Zek erklärte und die er zu verarbeiten hatte. »Halt!«, sagte er schließlich. »Konzentriere dich bitte auf das Wesentliche. Sag mir, was ich sonst noch über diesen Planeten wissen muss. Zeichne eine Karte, die ich mir einprägen kann. Zuerst der Planet, dann seine Einwohner.«

»Also gut«, stimmte sie zu. »Erst einmal etwas zu unserer Lage.

Der alte Jasef und ein oder zwei Männer sind zum Pass losmarschiert, um nachzusehen, ob sich in der Festung oben ein Wächter befindet – eines dieser Wamphyri-Geschöpfe. Falls ja, wird Jasef durch dieses Wesen eine telepathische Nachricht an Lord Shaithis senden. Sie wird besagen, dass Arlek uns gefangen hält und uns als Handelsobjekt benutzen will. Als Gegenleistung soll Shaithis versprechen, dass er das Gebiet von Lardis Lidescis Stamm nicht überfallen wird. Wenn er in diesen Handel einwilligt, wird man uns austilgen.«

»Nach dem zu schließen, was Arlek über die Wamphyri gesagt hat«, warf Jazz ein, »wäre ich überrascht, wenn sie überhaupt an einem Handel mit ihm interessiert wären. Falls sie so mächtig sind, können sie uns ihm auch einfach wegnehmen.«

»*Falls* sie uns finden!«, erwiderte sie. »Und dann auch nur bei Nacht. Sie können ihre Überfälle nur durchführen, wenn die Sonne über den Rand der Welt hinabgesunken ist. Außerdem gibt es ungefähr achtzehn bis zwanzig Wamphyri-Lords und eine Lady. Jeder beherrscht ein eigenes Territorium, und sie sind bittere Rivalen. Die ganze Zeit über intrigieren sie gegeneinander, und bei jeder Gelegenheit führen sie ihre Kleinkriege. Das liegt in ihrer Natur. Für sie alle, bis auf Lady Karen, stellen wir Asse dar, die sie nur zu gern für sich im Spiel hätten. Ich weiß das, denn ich war einst Karens Ass, und sie ließ mich gehen.«

Jazz beschloss, sich das für einen späteren Zeitpunkt zu merken. »Warum sind wir so wichtig?«, wollte er wissen.

»Weil wir Magier sind«, erklärte sie. »Wir haben Macht, Waffen, besondere Fähigkeiten, die sie nicht verstehen. Mehr noch als die Traveller verstehen wir den Umgang mit Metallen und mechanischen Vorrichtungen.«

»Was?«, entfuhr es Jazz. »Magier?«

»Ich bin Telepathin«, sagte sie achselzuckend. »ESP-Fähigkeiten zu besitzen und dennoch echte Menschen zu sein – das ist eine höchst seltene Angelegenheit. Dazu stammen wir nicht von dieser Welt. Wir kommen aus dem geheimnisvollen Höllenland. Und als ich hier ankam, besaß ich furchtbare Waffen. Genau wie du.«

»Aber ich habe keine ESP-Fähigkeiten!«, beteuerte Jazz. »Was kann ich ihnen schon nützen?«

Sie blickte zur Seite. »Nicht viel. Was bedeutet, dass du bluffen musst!«

»Was muss ich?«

»Sollten wir wirklich zu Lord Shaithis geschickt werden, musst du ihm erzählen ... dass du die Zukunft weissagen kannst. Irgendwas in der Art. Etwas, was sich nicht leicht widerlegen lässt.«

»Toll!«, sagte Jazz trübe. »So wie Arlek, meinst du? Er behauptete, er könne die Zukunft seines Stammes vorhersagen.«

Sie sah ihm in die Augen und schüttelte den Kopf. »Arlek ist ein Scharlatan! Ein billiger Wahrsager, wie es auch eine Menge unter den Zigeunern auf der Erde gibt. Auf unserer Erde natürlich. Deshalb ist er auch so gegen mich eingestellt. Er weiß, dass meine Fähigkeiten echt sind – im Gegensatz zu seinen.«

»Okay«, sagte Jazz. »Jetzt wollen wir *unsere* Erde einmal vergessen und du erzählst mir mehr über *diese* Erde. Beispielsweise über die Topographie.«

»Die lässt sich wirklich ganz einfach erklären«, antwortete sie. »Ich habe dir schon etwas zur Lage dieses Planeten in Bezug auf die Sonne und den Mond erklärt. Also werde ich dir einen Abriss der Karte geben, die du sehen wolltest: Diese Welt hat ungefähr die gleiche Größe wie die Erde, soweit ich das erkennen kann. Diese Gebirgskette liegt etwas nach Süden verschoben, und sie zieht sich von Osten nach Westen. Jedenfalls, wenn man den Kompass genau wie auf der Erde benutzt. Die Wamphyri können den Sonnenschein nicht ausstehen. Genau wie unsere Legenden berichten, dass Vampire kein Sonnenlicht ertragen können. Und dies *sind* Vampire! Auf der Sonnenseite des Gebirges leben die Traveller. Sie sind Menschen, wie du bemerkt hast. Sie leben in der Nähe des Gebirges, weil sie dort genug Wasser, Wald und Wild finden – ihre drei großen W. Während die Sonne am Himmel steht, wohnen sie in improvisierten Häusern, und bei Nacht ziehen sie sich so tief wie möglich in Höhlen zurück.

Die Berge sind von Schluchten und Höhlen durchlöchert. Mehr als fünfzehn Kilometer südlich des Gebirges gibt es keine Traveller mehr. Dort finden sie keine Lebensgrundlage. Nur Wüste. Es gibt auch noch vereinzelte Stämme von nomadischen Aborigines, die bei Höchststand der Sonne gelegentlich mit den Travellern Handel treiben. Ich habe sie schon einmal gesehen, und man kann sie kaum als Menschen bezeichnen. Sie stehen um einige Entwicklungsstufen unter den australischen Aborigines, deren Bezeichnung ich für sie übernommen habe. Ich habe keine Ahnung, wie sie dort draußen existieren können, aber sie überleben. Allerdings, hundertfünfzig Kilometer südlich der Berge könnten auch sie nicht mehr überleben. Dort gibt es nur noch verbrannte Erde.«

Obgleich er sich nicht wohl fühlte, war Jazz von all diesen Informationen fasziniert. »Und was ist im Osten und Westen?«, fragte er.

Sie nickte. »Ich komme gerade dazu. Diese Gebirgskette erstreckt sich über etwa viertausend Kilometer. Der Pass liegt ungefähr tausend Kilometer vom westlichen Ende der Berge entfernt. Weiter im Westen kommen dann Sümpfe, genau wie im fernen Osten. Niemand weiß, wie weit diese reichen.«

»Warum zum Teufel leben diese Traveller nicht an diesen Sümpfen?«, fragte Jazz verblüfft. »Da es dort keine Berge gibt, gibt es auch keinen Schutz vor der Sonne. Und das bedeutet, dass dort bestimmt keine Wamphyri leben!«

»Richtig«, bestätigte sie. »Die Wamphyri beschränken sich auf ihre Festungen, gleich auf der anderen Seite des Gebirges von hier. Aber die Traveller können sich nicht sehr weit nach Westen oder Osten begeben, weil die Sümpfe Brutstätten der Wamphyri sind! Dort liegt die Quelle des Vampirismus, genauso, wie diese Welt hier die Quelle der Vampirlegenden auf der Erde darstellt!«

Jazz bemühte sich, das zu verarbeiten, schüttelte aber dann doch den Kopf. »Das begreife ich nun wieder nicht«, gab er zu. »Dort leben keine Wamphyri, und dennoch sind dort ihre Brutstätten?«

»Vielleicht hast du mir vorher nicht richtig zugehört«, tadelte sie. »Aber ich kann das verstehen. Arlek hatte Recht: Du musst noch eine Menge lernen. Und du hast nicht viel Zeit dazu. Ich sagte dir, die Wamphyri sind das Ergebnis, wenn ein Vampirei in einen Mann oder eine Frau verpflanzt wird. Nun, die echten Vampire leben in diesen Sümpfen. Dort pflanzen sie sich fort. Immer mal wieder brechen sie dann aus und infizieren die in der Umgegend lebenden Tiere. Das Gleiche würden sie auch mit Menschen machen, wenn dort welche lebten. Die Wamphyri rühren aus einer Zeit her, als Menschen dort infiziert wurden. Jetzt erledigen sie das selbst.« Sie schauderte. »Die Wamphyri sind Menschen, die durch den Vampir in ihrem Inneren verändert wurden.«

Jazz holte tief Luft und sagte: »Puh! Lass uns lieber wieder über die Topographie sprechen.«

»Da gibt es nichts weiter«, ging sie darauf ein. »Auf der Sternseite befinden sich die Burgen der Wamphyri und diese selbst. Im Norden davon liegen die Eisländer. Dort leben ein oder zwei Spezies von Polartieren, aber das ist auch schon alles. Sie gehören in den Bereich der Legenden, denn kein lebender Traveller hat sie je mit eigenen Augen gesehen. Oh, und am Fuß der Berge auf der Sternseite, zwischen den Burgen und den Gipfeln, leben die Troglodyten. Sie wohnen unter der Erde, und richtige Menschen sind sie auch nicht. Sie bezeichnen sich selbst als Szgany oder Trogs und betrachten die Wamphyri als Götter. Ich sah ein paar von ihnen, die mumifiziert in Lady Karens Lagerhäusern lagen. Man könnte sie beinahe als Urmenschen bezeichnen.«

Sie schwieg einen Moment, um Luft zu holen, und fuhr dann fort: »Das war's denn auch schon, was den Planeten und seine Völker betrifft. Ich habe nur eines ausgelassen, soweit mir das bewusst ist, weil ich da selbst nicht ganz sicher bin. Aber du kannst darauf wetten, dass es sich um etwas Monströses handelt.«

»Monströs?«, wiederholte Jazz. »Das trifft doch wohl auf fast alles hier zu! Erzähle es mir trotzdem, und dann habe ich noch ein paar Fragen an dich.«

»Also«, begann sie zögernd, »da gibt es angeblich etwas, das sich ›Arbiteri Ingertos Westweich‹ nennt. Das ist ein Wamphyri-Begriff und bedeutet ...«

»›Er, der in seinem westlichen Garten wohnt‹?«, übersetzte Jazz das selbst.

Sie lächelte leicht und nickte dann bedächtig. »Arlek hatte unrecht, genau wie ich. Du lernst schnell. Es ist der ›Herr des westlichen Gartens‹.«

»Kommt aufs selbe heraus.« Jazz zuckte die Achseln. Und dann kam ihm etwas zu Bewusstsein und er runzelte die Stirn. »Aber das klingt so friedlich! Überhaupt nicht monströs.«

»Das mag ja sein«, gab sie zu. »Doch die Wamphyri fürchten ihn oder es gewaltig! Nun, ich habe dir doch gesagt, dass sie untereinander ständig streiten und Kleinkriege führen, oder? Doch in einer Frage sind sie sich absolut einig. *Alle* Wamphyri. Sie würden viel dafür geben, den ›Herr‹ loszuwerden. Angeblich ist er ein legendärer Magier, dessen Haus in einem grünen Tal irgendwo mitten in den Bergen im Westen steht. Ich sagte ›legendär‹, doch das mag den falschen Eindruck erwecken. Diese Legende ist noch nicht alt – vielleicht nicht älter als ein Dutzend irdischer Jahre. Zu dieser Zeit begannen offensichtlich die Geschichten über ihn umzulaufen. Seitdem berichtet man, er habe sich sein eigenes kleines Reich geschaffen, das er eifersüchtig hütet. Mit Möchtegern-Invasoren scheint er ziemlich grob umzugehen.«

»Sogar mit Wamphyri?«

»Gerade mit Wamphyri, soweit das bekannt ist. Die Wamphyri erzählen sich Schauergeschichten von ihm, die du kaum glauben würdest! Und wenn man deren Natur in Betracht zieht, will das etwas heißen!«

Als sie ausgesprochen hatte, bemerkten sie eine Bewegung im Norden aus der Richtung des Passes. Arlek und seine Männer sprangen augenblicklich auf, riefen ihre Wölfe herbei und nahmen ihre Waffen zur Hand. Jazz sah, dass sie Fackeln bereit hielten, die mit einer schwarzen, teerartigen Flüssigkeit eingeschmiert waren. Andere Männer standen mit Feuerstein und Zunder bereit.

Arlek eilte zu ihnen herüber und zog Jazz auf die Beine. »Das könnte Jasef sein«, sagte er heiser, »aber auch jemand anders. Die Sonne ist beinahe schon untergegangen.«

Jazz sagte zu Zek: »Sind diese Feuersteine und was sonst noch einigermaßen zuverlässig? In der obersten Tasche meines Overalls liegt eine Schachtel Streichhölzer. Und übrigens auch ein Päckchen Zigaretten! Die haben sie wohl nicht interessiert – nur die Waffen!« Er hatte auf Russisch gesprochen, was Arlek natürlich nicht verstand. Der Zigeuner wandte sein ledriges Gesicht fragend Zek zu.

Sie lächelte ihn spöttisch an und sagte etwas, das Jazz nicht verstand. Dann knöpfte sie die Tasche auf und nahm die Streichhölzer heraus. Sie zeigte sie Arlek und riss eines an. Es flammte auf und der Zigeuner fuhr zusammen, fluchte laut und schlug es ihr aus der Hand. Seine Miene wirkte erschrocken und völlig ungläubig.

Zek fuhr ihn zornig an. Jazz verstand lediglich das Wort ›Feigling‹. Es wäre ihm lieber gewesen, wenn sie ausgerechnet Arlek gegenüber mit diesem Wort sparsamer umgegangen wäre. Dann zischte sie ganz langsam und deutlich, wie zu einem zurückgebliebenen Kind: »Das ist für die Fackeln, du Narr, falls es sich nicht um Jasef handeln sollte!«

Er starrte sie mit offenem Mund an, zwinkerte nervös mit den braunen Augen und nickte schließlich bedächtig.

Aber es war Jasef. Ein alter Mann mit einem Krückstock humpelte – von zwei jungen Zigeunern gestützt – dankbar in das letzte bisschen Sonnenschein hinein. Er kam geradewegs auf Arlek zu und sagte: »Es war ein Wächter dort, ein Trog. Und sein Herr – Lord Shaithis – hatte ihm die Fähigkeit verliehen, über große Entfernungen hinweg direkt mit ihm zu sprechen. Er sah, wie dieser Mann, dieser Jazz hier, über den Pass kam, und hat das Shaithis gleich berichtet. Der wäre auch sofort hergekommen, doch die Sonne ...«

»Ja, ja, mach schon weiter!«, fuhr ihn Arlek ungeduldig an.

Jasef zuckte die Achseln. »Du musst wissen, ich habe mich nicht persönlich mit diesem Szgany-Trog unterhalten. In der Festung mochten noch viel schlimmere Dinge lauern. Ich bin draußen geblieben und habe wie die Wamphyri im Kopf mit ihm gesprochen.«

»Natürlich, das ist ja klar!«, schrie Arlek fast außer sich vor Ungeduld.

»Also übermittelte ich dem Trog deine Botschaft, und der leitete sie an den Wamphyri-Lord weiter. Dann sagte er, ich solle zu dir zurückkehren.«

»Was?«, fragte Arlek offensichtlich wie vor den Kopf geschlagen. »Ist das alles?«

Wieder zuckte Jasef lediglich die Achseln. »Er sagte wörtlich: ›Teile Arlek von den Travellern mit, dass mein Herr Shaithis persönlich mit ihm sprechen wird.‹ Ich habe keine Ahnung, was das bedeutet.«

»Alter Narr!«, knurrte Arlek. Er wandte sich von Jasef ab, und in diesem Augenblick begann Zeks Funkgerät, dessen Antenne ein paar Zentimeter aus ihrer Brusttasche heraus ragte, aufgeregt zu knattern. Das winzige rote Lämpchen blinkte heftig.

Arlek schnappte nach Luft und sprang mit einem Satz einen ganzen Schritt zurück, wobei er auf ihre Tasche deutete. Als Zek das Gerät herausnahm, starrte er es mit großen Augen an.

»Noch mehr deiner unheiligen Zauberei?«, fragte er anklagend. »Wir hätten all deine Sachen schon vor langer Zeit vernichten müssen, und dich gleich mit, anstatt zuzulassen, dass Lardis dir alles zurückgibt!«

Auch Zek war überrascht gewesen, allerdings nur einen Moment lang. Nun sagte sie: »Ich habe meine Sachen zurückbekommen, weil sie niemandem schadeten und für euch ohnehin nutzlos waren. Und sie gehörten schließlich mir! Im Gegensatz zu dir ist Lardis kein Dieb. Ich habe den Travellern bereits oft genug erklärt, dass man mit diesem Ding hier über große Entfernungen kommunizieren kann, oder etwa nicht? Aber da es bisher niemanden gab, mit dem ich sprechen konnte, hat es auch nicht funktioniert – nicht ›gearbeitet‹, ja? Es ist eine Maschine und hat nichts mit Magie zu tun. Na ja, und nun gibt es jemanden, der mit mir sprechen will.« Und zu Jazz gewandt sagte sie leise: »Ich weiß nicht, was das zu bedeuten hat.«

Er nickte und sagte: »Wer hat die besseren Karten?«

»Nun«, antwortete sie bedächtig, »ich glaube, dass Lord Shaithis ein Ass im Ärmel hat – oder wenn nicht das, dann zumindest einen Joker. Er hat bestimmt Karl Vyotsky!«

Dann sprach sie ins Funkgerät hinein: »Unbekannter Anrufer, hier spricht Zek Föener. Geben Sie ihre Nachricht durch! Over.«

Wieder krachte und prasselte es, und dann sagte eine wohlbekannte Stimme – ein wenig zittrig, hektisch und atemlos, jedoch einigermaßen zusammenhängend: »Vergiss die übliche Prozedur, Zek. Hier spricht Karl Vyotsky. Ist Arlek von den Travellern bei euch?« Es klang nicht überzeugend, ganz so, als souffliere ihm jemand, was er zu sagen habe.

Jazz sagte schnell: »Lass mich mit ihm sprechen!«

Zek hielt ihm das Gerät ans Ohr.

»Wer will das wissen, Genosse?«, fragte Jazz.

Nach einem Moment des Schweigens sagte die Stimme in beinahe bittendem Tonfall: »Hör mal, Engländer, ich weiß, dass wir auf unterschiedlichen Seiten stehen, aber wenn du mich jetzt auflaufen lässt, bin ich erledigt. Mein Funkgerät spinnt. Manchmal kann ich etwas empfangen, manchmal nicht. Im Augenblick befinde ich mich in guter Empfangshöhe – du wirst kaum glauben, wie hoch ich stehe – aber ich kann diesem verdammten Ding nicht vertrauen. Also verschwende keine Zeit mit deinen Spielchen. Ich kann nicht glauben, dass du mich zuerst am Leben lässt, und mich jetzt plötzlich umbringst. Also falls dieser Arlek in der Nähe ist, dann gib ihn mir bitte! Sag ihm, dass Shaithis von den Wamphyri mit ihm sprechen will.«

Arlek hörte, wie sein Name zweimal erwähnt wurde, und der

Name Shaithis ebenfalls. Also drehte es sich bei dem Gespräch offensichtlich um ihn und den Lord der Wamphyri. Er streckte die Hand nach dem Gerät aus und verlangte: »Gib es mir!«

Hätte Jazz das Funkgerät in der Hand gehalten, er hätte es zu Boden fallen lassen und zerstampft. Keine Kommunikation, kein Geschäft mit ihren Leben. Zek mochte die gleiche Idee gehabt haben, doch sie reagierte nicht schnell genug. Arlek schnappte sich das Gerät, nahm es ungeschickt in die Hände und sprach unsicher hinein: »Ich bin Arlek.«

Im Lautsprecher krachte es wieder, und kurze Zeit später sagte eine männliche Stimme: »Arlek von den Travellern – vom Stamm des Lardis Lidesci – es ist Shaithis von den Wamphyri, der zu dir spricht. Wie kommt es, dass du für den Stamm sprichst und nicht Lardis? Hast du ihn als Stammesführer abgelöst?«

Jazz hatte noch nie eine so dunkle und bedrohliche Stimme gehört. Doch trotz einer gewissen Fremdartigkeit war es definitiv die Stimme eines Mannes. Tief und grollend, voll beherrschter Kraft, jedes einzelne Wort sorgfältig und deutlich und voller Autorität gesprochen: Die Person hinter dieser Stimme wusste, dass ihr Gesprächspartner in jeder Weise unterlegen war.

Arlek beherrschte bereits den Umgang mit dem Funkgerät. »Lardis ist nicht da«, sagte er. »Vielleicht kommt er zurück, vielleicht auch nicht. Doch selbst wenn er zurückkehrt, gibt es hier genug Traveller, die mit seiner Führung unzufrieden sind. Die Zukunft ist also unklar. Vieles erscheint möglich.«

Shaithis kam sofort auf das Wesentliche zu sprechen. »Mein Beobachter hat mir berichtet, dass du die Frau hast, die ich als Lady Karens Gedankendiebin kenne, die Frau Zekintha aus dem Höllenland. Darüber hinaus habt ihr auch noch einen Mann aus dem Höllenland, einen Magier, der fremdartige Waffen bei sich trägt.«

»Was Euch der Beobachter berichtet hat, entspricht der Wahrheit«, antwortete Arlek, der nun entspannt schien.

»Entspricht es dann auch der Wahrheit, dass du dich mit mir

in irgendeiner Form bezüglich des Mannes und der Frau einigen wolltest?«

»Auch das stimmt. Gebt mir Euer Wort, dass Ihr in Zukunft den so genannten ›Stamm des Lardis‹ nicht mehr überfallen werdet, dann werde ich Euch im Gegenzug diese Magier aus dem Höllenland übergeben.«

Das Funkgerät schwieg und es schien, als denke Shaithis über das Angebot Arleks nach. Dann sagte er schließlich: »Und ihre Waffen?«

»Ihre Waffen ebenfalls«, bestätigte Arlek. »Alle außer einer Axt, die dem Mann gehörte. Die beanspruche ich für mich. Trotzdem wird der Wamphyri-Lord Shaithis große Vorteile durch unseren Handel für sich gewinnen. Überlegene Waffen, die Euch im Kampfe helfen werden, Geräte wie diesen Fernsprecher, den Ihr anscheinend ja bereits zu gebrauchen versteht, und ihre Magie – alles stünde Euch zur Verfügung.«

Shaithis schien beinahe überzeugt. »Hmmm. Du bist dir bewusst, dass ich nur *ein* Lord bin und es noch andere Lords unter den Wamphyri gibt? Ich kann nur für mich selbst sprechen.«

»Aber Ihr seid der Größte aller Wamphyri!« Arlek war sich seiner Sache nun sehr sicher. »Ich bitte Euch nicht um Euren Schutz, nur darum, dass Ihr im Fall der Fälle die anderen Lords bei ihren Überfällen behindert. Es gibt so viele Traveller, und wir stellen schließlich nur einen kleinen Stamm dar. Ihr überfallt uns nicht, und – wenn es Euch beliebt – sorgt Ihr dafür, dass die anderen Lords uns nur unter größten Schwierigkeiten überfallen könnten ...«

Shaithis Stimmlage wurde womöglich noch tiefer. »Ich erkenne keine anderen ›Lords‹ an, Arlek. Nur Feinde. Was deinen Vorschlag betrifft, sie zu hindern, so tue ich das bereits. Und das werde ich auch weiterhin tun!«

»Dann könntet Ihr das vielleicht etwas energischer tun, was uns betrifft«, beharrte Arlek. Und er wiederholte: »Wir sind nur ein kleiner Stamm, Lord Shaithis. Ich bitte nicht um Euren Schutz für andere Traveller-Stämme.«

Zek versuchte in diesem Moment, ihm das Funkgerät zu entreißen, doch er wandte sich schnell von ihr ab. Zwei seiner Männer packten ihre Arme und hielten sie fest.

»Du verräterisches Schwein! Du ...« Ihr fehlten die Worte.

»Also gut«, gab Shaithis nach. »Sage mir nun, wie du die Übergabe der beiden an mich bewerkstelligen willst.«

»Ich werde sie gut fesseln«, antwortete Arlek, »und hier, an diesem Ort für dich zurücklassen. Wir befinden uns ein Stück Wegs jenseits des Passes und der Festung.«

»Ihre Waffen lässt du ebenfalls in ihrer Nähe liegen?«

»Ja.« Arlek reckte die Schultern, und seine Nasenlöcher blähten sich. Seine Augen strahlten. Alles verlief so, wie er es gewünscht hatte. Die Wamphyri lasteten wie ein Fluch über allen, doch wenn man diesen Fluch beseitigte, wenigstens zum Teil, würde es nicht lange dauern, bis Lardis Lidesci entmachtet werden konnte.

»Dann tue jetzt, was du gelobt hast, Arlek von den Travellern! Fessle sie, lass sie zurück und geh mit den Deinen. Shaithis kommt! Sei bei meiner Ankunft nicht mehr in ihrer Nähe! Der Pass ist ohnehin mein ... nach Anbruch der Dunkelheit.«

Sie lagen verlassen im Dunkeln, und nur das Geräusch ihrer Atemzüge war zu hören. Im Süden entfernten sich Arlek und sein Stamm. Anscheinend war Wolf mit ihnen gezogen. Als sie nichts mehr von den anderen hören konnten, stellte Jazz fest: »Ich glaube nach wie vor, dass dein Begleiter kein guter Wachhund ist.«

»Sie still!«, sagte sie. Das war alles. Sie lag bewegungslos da. Jazz wandte den Kopf und blickte in Richtung Norden zum Pass hinüber. Dort war jedoch nur noch das kalte Glitzern von Sternen am Himmel zu erkennen. Er lauschte angespannt, hörte aber noch immer nichts.

»Warum sollte ich still sein?«, flüsterte er schließlich.

»Ich habe versucht, zu Wolf durchzukommen«, antwortete sie. »Er hätte sie augenblicklich angegriffen und bestimmt dabei sein

Leben verloren. Ich habe ihn zurückgehalten. Er war mir immer ein guter Freund und Begleiter, den ich nicht opfern wollte. Doch *jetzt* benötige ich ihn!«

»Wozu?«

»Du hast seine Zähne doch gesehen – scharf und hart wie Meißel! Ich habe ihn herbeigerufen. Falls er mich gehört hat und noch nicht zu weit entfernt oder mit den anderen Wölfen beschäftigt ist, wird er zu uns zurückkehren. Wir sind mit Lederriemen gefesselt, aber nur eine kleine Weile, und ...«

Jazz rollte sich herum, um sie ansehen zu können. »Na ja, Zeit sollten wir genug haben. Ich habe die Wamphyri-Festungen auf den Felstürmen gesehen. Sie sind meilenweit entfernt. Und der Passweg ist ja auch recht lang.«

Sie schüttelte den Kopf. »Jazz, selbst jetzt ist es möglicherweise bereits zu spät!« Sie hatte kaum ausgeredet, als Wolf mit hängender Zunge und langen Sätzen herangesprungen kam. Hinter ihm wurde der südliche Ausgang des Passweges von einem letzten goldenen Schimmer erleuchtet.

»Zu spät?«, wiederholte Jazz. »Du meinst, weil die Sonne jetzt gesunken ist?«

»Das habe ich damit nicht sagen wollen«, gab sie ihm kopfschüttelnd zur Antwort. »Und außerdem ist sie noch nicht ganz untergegangen. Ein oder zwei Kilometer südlich von hier zieht sich der Passweg einen Hang hinauf zu einer schmalen Kammhöhe, und von dort aus fällt er steil ab und krümmt sich nach Osten. Von da aus geht es steil abwärts zur Sonnenseite. Die Sonne befindet sich im Augenblick lediglich unterhalb unseres Horizonts hier. Auf der Sonnenseite bleibt es noch stundenlang hell. Aber – Shaithis wird trotzdem bald hier sein.«

»Wie denn?«, fragte Jazz verblüfft und herausfordernd zugleich.

»Er hat ein Transportmittel«, sagte Zek kurz angebunden. »Jazz, ich kann mich nicht auf den Bauch herumwälzen. Ich liege genau auf einem spitzen Felsen. Aber falls du dich ganz drehen kannst, sage ich Wolf, er soll dir die Fesseln durchkauen.«

»Du billigst dem alten Lupus hier eine Menge Intelligenz zu«, stellte Jazz skeptisch fest.

»Ein einziges Gedankenbild ist genauso viel wert wie tausend Worte«, sagte sie daraufhin.

»Oh!« Jazz wurde einiges klar. Er bemühte sich, seinen Körper herumzuwälzen, aber ...

»Warte mal«, sagte sie atemlos. »Küsst du mich erst Mal?« Sie wand sich näher zu ihm heran.

»Was?«, fragte er entgeistert und rührte sich nicht mehr.

»Nur wenn du willst, natürlich«, fuhr sie heiser fort. »Aber ... vielleicht ist es deine letzte Chance.«

Er rutschte ihr etwas entgegen und küsste sie, so gut es ging. Schließlich trennten sich ihre Lippen wieder, als sie fast keine Luft mehr bekamen. Irgendwie hatte es doch etwas länger gedauert.

»Hast du meine Gedanken gelesen?«, fragte er.

»Nein.«

»Gut! Nachdem ich jetzt weiß, wie gut du schmeckst, ist es umso wichtiger, dass Wolf sich an diese verdammten Fesseln heranmacht.«

Er rollte sich auf den Bauch. Wie eine Roulade zusammengebunden, ragten lediglich seine Unterschenkel und Füße hoch. Seine Handgelenke waren hinter dem Rücken gefesselt und noch einmal mit einem Riemen an die Füße gebunden. Wolf begann augenblicklich, an den Lederschnüren zu zupfen.

»Verdammt noch Mal, nein!«, fauchte Jazz ihn an. »Nicht ziehen – zerbeißen!« Und Wolf befolgte den Befehl.

Jazz konnte im Dämmerlicht sein Gepäck und auch das Zeks unweit von ihnen liegen sehen. Die Waffen schimmerten metallisch. »Arlek hat mein Compo mitgenommen!«, stellte er fest.

»Compo?«

»Den Lebensmittelbehälter!«

Sie schwieg.

»Dabei hat er Shaithis versprochen, dass er alles hier lässt bis auf meine Axt.«

Leise sagte sie: »Er wusste, dass Shaithis für die Lebensmittel keine Verwendung hat.«

Jazz bemühte sich, ihr sein Gesicht zuzuwenden. »Ach ja? Aber er muss doch auch essen, oder?« Dann unterbrach er sich und sah in ihre Augen, die im dunklen Schatten ihres Gesichts schimmerten. »Lord Shaithis von den Wamphyri«, fuhr er bedächtig fort. »Aber natürlich! Er ist ein Vampir, ja?«

»Jazz«, sagte sie gedehnt, »die Hoffnung stirbt wohl am Letzten, aber – vielleicht sollte ich dir doch schildern, was geschehen würde, sollte Shaithis uns in die Hände bekommen.«

»Ja, das solltest du wohl«, bestätigte er.

Etwas Kleines, Schwarzes, schrill Pfeifendes flatterte an ihnen vorbei, kam in eigenartigen Kurven, mal hoch, mal niedrig fliegend zurück und schoss wieder davon. Dann ein weiteres, und immer mehr, bis die Luft von ihnen erfüllt schien. Jazz war erstarrt, hielt die Luft an, doch Zek sagte ruhig: »Fledermäuse, aber eben *nur* einfache Fledermäuse. Sie gehören nicht den Wamphyri. Die benutzen die Richtigen, um für sie auf Kundschaft zu fliegen. Die ganz Großen. *Desmodus*, den Vampir.«

Eine Lederschnur hinter Jazz' Rücken gab nach, und kurz darauf eine zweite. Jazz wand seine Handgelenke und spürte, wie der Druck der Fesseln ein wenig nachließ. Wolf kaute unverdrossen weiter. »Du wolltest mir von Shaithis' Transportmittel berichten«, erinnerte er sie.

»Nein«, erwiderte Zek. »Wollte ich nicht.« Ihr Tonfall warnte ihn, jeden weiteren Versuch in dieser Hinsicht zu unterlassen. Er musste aber gar nicht mehr danach fragen. Als die letzte Schnur riss und seine gequälten Arme getrennt waren, streckte er die schmerzenden Beine aus, rollte sich auf den Rücken herum und sah nach oben. Sein Blick wurde von einer ominösen Bewegung am Himmel magisch angezogen. In Höhe der Felskämme am Pass verdeckte ein schwarzer Klecks – nein, mehrere – die Sterne, als sie sich nach der Südseite zu senkten.

»Was zum Teufel ...?«, flüsterte Jazz.

»Sie kommen!«, hauchte Zek. »Schnell, Jazz! Mach schnell!«

Wolf sprang aufgeregt umher und winselte, während Jazz sich mit verkrampften Fingern daran machte, seine Füße loszubinden. Schließlich war das geschafft. Er wandte sich Zek zu, legte sie sich ganz einfach mit dem Gesicht nach unten über die Knie und bearbeitete hektisch die Knoten an ihren Fesseln. Während er einen nach dem anderen löste, blickte er immer wieder zum Himmel auf.

Die sich senkenden dunklen Flecke sanken herab wie flache Steine, die man ins Wasser geworfen hat. Sie glitten wie fallende Blätter an einem Septembermorgen auf sie zu. Es waren drei, deren Umrisse er jetzt immer klarer ausmachen konnte: riesig, diamantenähnlich in der Form, doch diese Diamanten hatten auf der einen Seite einen langen Hals und Kopf, und auf der anderen einen Schwanz. Lautlos hin und her schaukelnd segelten sie auf den Passweg oberhalb von ihnen zu, wo er am breitesten war.

Zeks Hände waren beinahe frei, also kümmerte sich Jazz nicht mehr um sie und wandte sich ihren Beinen zu. Er spielte mit dem Gedanken, sie sich über die Schulter zu werfen und loszurennen, doch das verwarf er schnell wieder, denn seine Beine schmerzten noch ganz erheblich, und außerdem war es nun fast völlig dunkel. Er würde lediglich vorwärts stolpern können, mit Wolf als ziemlich jämmerlicher Rückendeckung.

Drei dumpfe Aufschläge dicht hintereinander verrieten ihnen, dass die fliegenden Kolosse gelandet waren. Jazz' Finger funktionierten jetzt wieder normal, und sie flogen förmlich, um Zeks Beine von den Fesseln zu befreien. Sie atmete heftig und verängstigt. »Ist schon gut«, flüsterte er immer wieder. Und: »Nur noch ein Knoten.«

Weiter oben auf dem Passweg hoben sich drei fremdartig anmutende dunkle Umrisse vom Sternen überstrahlten Horizont ab. Flache Köpfe schwankten an langen Hälsen.

Der letzte Knoten löste sich, und in dem Moment, als Zek taumelnd auf die Beine kam, zog Wolf ängstlich winselnd den Schwanz ein. Das große Tier bellte kurz und schob sich rückwärts in Richtung Süden.

Jazz legte den Arm um Zeks Taille und stützte sie beim Gehen. Er sagte: »Beweg deine Arme und stampfe mit den Füßen auf, damit dein Blutkreislauf wieder funktioniert!«

Sie gab keine Antwort, sondern starrte nur mit weit aufgerissenen Augen in Richtung der gelandeten Kreaturen. Er fühlte mehr als dass er sehen konnte, wie ein Schauder durch ihren ganzen Körper rann – völlig unbewusst, so wie ein Hund Wasser abschüttelt. Allerdings vermutete Jazz, dass sie den Grund für dieses Schaudern nicht abzuschütteln vermochte. So wandte er sich in die gleiche Richtung.

Drei Gestalten standen keine zehn Schritt von ihnen entfernt auf dem Pfad. Man konnte nur ihre Umrisse erkennen, doch das tat der Aura des Schreckens, die sie umgab, keinen Abbruch. Sie strahlten in beinahe greifbaren Wellen etwas so Furcht erregendes aus, dass sie fast unbesiegbar wirkten. Alle Vorteile lagen auf ihrer Seite: Sie vermochten im Dunklen zu sehen, waren so stark, wie es selbst die stärksten Muskelmänner auf der Erde kaum zu träumen wagten, und darüber hinaus waren sie bewaffnet. Und das nicht nur mit physischen Waffen, sondern auch mit der Macht der Wamphyri. Davon wusste Jazz noch nicht viel, Zek aber schon.

»Sieh ihnen nicht in die Augen!«, zischte Zek ihm warnend zu.

Die drei waren Männer, oder waren es zumindest gewesen. Aber sie waren enorm groß, und sogar an ihren Umrissen vor dem schwarzen Sternenzelt konnte Jazz ermessen, welche Art von Männern. In seinem Verstand zuckte das Bild eines solchen Mannes auf, der sich in einem flammenden Inferno wand und seine Wut und seinen Trotz herausschrie: *»Wamphyri!«*

Derjenige in der Mitte musste Shaithis sein. Jazz schätzte ihn auf ein gutes Stück über zwei Meter; er überragte auch die beiden Männer zu seinen Seiten um einen Kopf. Er stand hoch aufgerichtet, in einen Mantel gehüllt, die Haare lang bis auf die Schultern. Die Proportionen bei seinem Kopf stimmten nicht ganz. Als der Wamphyri mit abgehackten Bewegungen den Kopf leicht drehte und mal hierhin, mal dorthin blickte, sah Jazz, wie lang die Kiefer waren, die eher wie eine Hundeschnauze wirkten, und er sah die beweglichen, muschelähnlichen Ohren. Das Gesicht stellte eine Kombination von Mensch, Fledermaus und Wolf dar!

Die beiden neben ihm waren fast nackt. Ihre Körper schimmerten hell unter den Sternen: muskulös, mit eleganten, fließenden Bewegungen. Ihre Haare waren bis auf lange Stirnlocken geschoren, und an den rechten Händen ... diese Umrisse hätte Jazz überall wieder erkannt. Die Kampfhandschuhe der Wamphyri! Sie standen da, die Arme in die Seiten gestützt, beinahe sorglos, und starrten Zek und Jazz mit ihren roten Augen an, als studierten sie seltene Insekten.

»Ungefesselt!«, stellte Shaithis mit dieser unverkennbaren, grollenden Stimme fest. »Also ist entweder Arlek ein Narr, oder ihr seid extrem gerissen. Ah – ich sehe die zerrissenen Fesseln. Ihr seid also sehr schlaue Leute. Natürlich habt ihr eure Magie angewandt. *Meine* Magie ist das jetzt!«

Jazz und Zek traten stolpernd ein oder zwei Schritte zurück. Die drei kamen ihnen nach, etwas schneller, aber sie hatten es offensichtlich nicht eilig und näherten sich ihnen deshalb nur ganz gemächlich. Shaithis Untergebene kamen mit sicheren und schnellen Schritten wie Menschen auf sie zu, doch ihr Herr schien eher zu schweben, als ob ihn seine Willenskraft über den Boden erhebe. Seine Augen waren riesig und rot. Sie schienen auf geheimnisvolle Weise von innen heraus zu glühen. Es war schwer, sich dem Bann dieser Augen zu entziehen und nicht hineinzublicken, fand Jazz. Es mochte sich um die Tore zur Hölle handeln – aber wie bringt man einem Falter bei, die Kerzenflamme *nicht* näher zu erforschen?

Zeks Ellbogen traf ihn schmerzhaft in die Rippen. »Sieh ihnen nicht in die Augen!«, fuhr sie ihn erneut an. »Renn, wenn du kannst, Jazz! Ich bin total verspannt – ich würde dich nur aufhalten.«

Wolf rannte mit langen Sätzen und knurrend vor Zorn und vielleicht auch vor Furcht aus den Schatten unter dem östlichen

Abhang hervor. Er sprang Shaithis' Mann auf dieser Seite an. Dieser drehte sich ihm leicht zu und schlug ihn mit einer lässigen Handbewegung zur Seite, wie Jazz eine japsende Welpe abgewehrt hätte. Wolf winselte und zog sich ein Stück zurück.

Der Mann, den er angegriffen hatte, hob ihm seinen Kampfhandschuh entgegen. »Komm nur, kleiner Wolf«, lockte er das Tier spöttisch. »Komm, lass deinen hübschen grauen Kopf von Gustan streicheln!«

»Zurück, Wolf!«, schrie Zek.

»*Bleibt stehen!«,* befahl Shaithis, wobei er auf Jazz und Zek deutete. »Ich werde nicht jagen, was ohnehin mein ist. Kommt nun zu mir, oder ihr werdet bestraft. Streng bestraft!«

Jazz' Ferse traf auf Metall. Seine Maschinenpistole! Auch sein Tornister lag dort.

Er fiel auf ein Knie nieder und packte die Waffe. Die drei Gegner sahen ihn mit der Waffe in der Hand und blieben stehen. Steif standen sie da und blickten ihn mit ihren roten Augen an. »Was?« Shaithis' Stimme klang gefährlich tief und sanft. »Du bedrohst deinen Herrn?«

Jazz sah die drei aus seiner knienden Haltung an und suchte blind mit einer Hand in den Außentaschen des Tornisters. In der einen fand seine Hand nichts, aber in der nächsten stieß sie auf das, was er gesucht hatte. Dann rastete auch schon das Magazin in die Halterung ein. »Ich sagte ...«

»Dich bedrohen?« Jazz legte auf ihn an. »Darauf kannst du wetten!«

Doch Shaithis' rechter Flankenmann war geduckt vorwärts geschlichen und nun sprang er mit einem in einer Sandale steckenden Fuß direkt auf Jazz' Handgelenk und nagelte es am Boden fest. Jazz ließ sich platt auf den Boden fallen und versuchte, den Mann wegzutreten, doch er hatte keinen Neuling vor sich. Er mied die Tritte, hielt nach wie vor den Arm und damit auch die Waffe fest, richtete sich auf den Knien auf, packte Jazz' Kopf mit seiner mächtigen linken Pranke und zeigte ihm warnend den erhobenen Kampfhandschuh. Er spreizte die rechte

Hand, und Haken, sowie Klingen wie schimmernde kleine Sicheln reflektierten den kalten Schein der Sterne. Dann lächelte der Mann und zog spöttisch die eine Augenbraue hoch, wobei er die Maschinenpistole in Jazz' Hand anblickte. Die Mündung steckte in der lockeren Erde, so dass Jazz es gar nicht wagen konnte, damit zu schießen.

So öffnete er die Hand und ließ die Waffe los, und der Mann hob ihn an seinem von der riesigen Hand umschlossenen Gesicht hoch. Jazz war machtlos. Er hatte das Gefühl, dieser Mann könne ihm, wenn er das wollte, die Haut wie die Schale einer Orange vom Schädel abziehen.

Zek stürzte sich auf den Mann an Shaithis' anderer Seite – Gustan – der nun vortrat. »Schläger!«, schrie sie empört und trommelte mit beiden Fäusten auf ihn ein. »Bastarde! *Vampire!*«

Gustan packte sie leicht mit einem Arm, grinste sie an und tastete mit seiner freien Hand über ihren Körper, wobei er sie hier und da ein wenig kniff. »Ihr solltet mir diese Kleine eine Weile überlassen, Lord Shaithis«, grollte er. »Ich könnte ihr ein wenig Verstand einprügeln und sie lehren, was Gehorsam bedeutet!«

Shaithis fuhr ihn augenblicklich an: »Sie wird ausschließlich mir gehorchen und niemandem sonst! Hüte deine Zunge, Gustan! In den Stallungen ist noch Platz für eine weitere Kampfkreatur, falls du diese Karriere vorziehst?«

Gustan schreckte sichtlich zurück. »Ich habe doch nur ...«

»Sei *ruhig!*«, unterbrach ihn Shaithis. Er trat vor, schnüffelte kurz in Zeks Richtung und nickte dann. »Ja, in der hier steckt Magie. Aber denk daran: Sie ist dieser Hexe Karen entkommen! Bewache sie aufmerksam, Gustan.« Nun traf sein Blick Jazz. »Was dich betrifft ...« Wieder schob er seine lange Schnauze vor und schien die Nase wie ein Bluthund zu gebrauchen. Und seine Augen zogen sich zu scharlachroten Schlitzen zusammen.

»Er ist ein großer Magier!«, rief Zek. Sie hing wie eine Puppe unter Gustans Arm.

»Tatsächlich?« Shaithis blickte zu ihr hinüber. »Und welches, bitte, ist sein besonderes Talent? Denn in ihm wittere ich keine Magie.«

»Ich ... ich sage die Zukunft voraus«, keuchte Jazz aus einem Mund, der vom Griff des anderen Vampirs halb zugequetscht war.

Shaithis lächelte auf eine furchtbare Weise. »Gut, denn deine sehe ich bereits vor mir.« Und er nickte dem Mann zu, der Jazz hoch hielt.

»Warte!«, schrie Zek. »Es ist die Wahrheit, ehrlich! Du würdest einen mächtigen Verbündeten verlieren, wenn du ihn tötest!«

»Einen Verbündeten?« Shaithis schien sich zu amüsieren. »Vielleicht eher einen Diener.« Er strich sich über das Kinn. »Aber gut, lasst ihn seine Fähigkeiten unter Beweis stellen. Lass ihn herunter!« Jazz wurde herabgesenkt, bis er sich mit Anstrengung auf den Zehenspitzen halten konnte.

Shaithis musterte ihn eingehend, legte den Kopf schief auf eine Seite und dachte sich offenbar einen geeigneten Test aus.

»Sage mir nun, Mann aus dem Höllenland«, äußerte er sich schließlich, »was du in meiner Zukunft siehst!«

Jazz wusste, dass er keine Chance hatte, aber er musste auch an Zek denken. »Ich werde dir so viel sagen«, begann er. »Falls du dieser Frau hier auch nur ein Haar krümmst, wirst du in der Hölle brennen! Die Sonne wird nur für dich scheinen, Shaithis von den Wamphyri!«

»Das ist keine Weissagung, sondern einfach Wunschdenken!«, grollte Shaithis. »Willst du mich mit einem Fluch belegen? Was, ich soll ihr kein einziges Haar krümmen? An *diesem* Kopf, meinst du?« Er streckte eine Hand aus und packte Zeks blondes Haar, wand es mit einer Drehung seines Handgelenkes zu einem Knoten und riss daran, dass sie aufschrie.

Und augenblicklich stieg die Sonne über dem Bergpass auf und erhellte die Szenerie mit ihren grellen, sengenden Strahlen!

Bevor der Mann, der Jazz festhielt, vor Angst aufschrie und ihn wie eine Stoffpuppe von sich schleuderte, dachte der Engländer voll Verwunderung: *Na, das nenne ich doch echte Magie!*

FÜNFTES KAPITEL

Kaum auf dem harten Boden aufgeprallt, kroch Jazz auf seine Waffe zu, und niemand unternahm etwas, um ihn davon abzuhalten. Der Grund war sehr einfach: Shaithis und seine beiden Kämpfer flohen zu ihren Reittieren, wobei sie wie zweibeinige Kakerlaken zwischen den Felsen von einem Schatten zum anderen huschten und sich vor dem tödlichen, blendenden Lichtschein in Sicherheit brachten. Und wo und wann dieser Lichtschein auf sie fiel, schrien sie laut, als habe man sie verbrüht, und sie bedeckten die Köpfe und stolperten blind in ihrer Panik weiter.

Aber einer von ihnen – Gustan – trug noch immer Zek, die sich wie eine Schlange in seinem Griff wand und mit ihren kleinen Fäusten auf seinen Kopf einschlug. Gustan war deshalb Jazz' Hauptziel.

Er schnappte sich die MP, richtete den Lauf nach unten und schüttelte die Waffe kräftig. Ein paar kleine Steinchen und Sand rieselten heraus, und Jazz schickte ein Stoßgebet zu diesem fremden Himmel, dass nichts Größeres darin verklemmt sein möge. Dann hatte er ein Knie am Boden, orientierte sich kurz, zielte auf die doppelte Gestalt am Rande des Passweges und drückte schließlich ab. Die Waffe reagierte mit knatternden, bleiernen Obszönitäten, die sie auf Gustans Beine schleuderte. Shaithis' Krieger fiel um, als habe ihn eine Axt gefällt. Eine Staubwolke erhob sich, und er schrie laut und schlug um sich. Er lag im Schatten eines niedrigen Steinhaufens, und im nächsten Augenblick löste sich Zeks Gestalt von seinem zappelnden Körper.

Jazz konnte nicht mehr schießen, aus Angst, er werde sie treffen. »Bleib auf der Seite!«, rief er ihr heiser zu. »Raus aus der Schusslinie!«

Sie hörte ihn und warf sich zur Seite. Augenblicklich bot sich ihm ein passendes Ziel, das sich hektisch durch einen dahinschweifenden Lichtstrahl bewegte. Als dieser weiter wanderte, hatte Jazz die Position des Vampirs vor dem geistigen Auge, und er feuerte in diese Richtung. Schreie und Flüche ertönten von dort her. Jazz hoffte, Shaithis erwischt zu haben, aber er bezweifelte es doch, denn die Gestalt war nicht groß genug gewesen. Andererseits spürte er noch die Schrammen und Quetschungen an seinem Kopf, wo ihn der andere Krieger gehalten hatte. Dem würde er es nur zu gern heimzahlen. Diese Kerle mussten eines lernen: Lasst euch auf keinen Streit mit Magiern aus dem Höllenland ein!

Zek kroch aus dem Schatten unter den Klippen hervor. »Ich bin's!«, rief sie, als sie bemerkte, wie sein Körper herumruckte. »Nicht schießen!« Wolf war plötzlich neben ihr und umtanzte sie freudig wie ein fröhlicher Welpe.

»Komm hinter mich!« Jazz winkte sie und den Wolf heran und deutete nach hinten. »Schnell, hol mir ein neues Magazin aus der offenen Seitentasche dort.«

Die Strahlen der Suchscheinwerfer vom Klippenwall auf der Südseite (so wirkten sie auf Jazz: starke Suchscheinwerfer, deren Strahlen den Feind verfolgten) spielten mit Shaithis und seinen Männern, huschten hierhin und dorthin und warfen große Scheiben reflektierten Sonnenscheins auf den Talgrund. *Reflektiert, klar!* Jazz nickte in sich hinein. *Von großen Spiegeln. Seid bedankt, wer immer auch diese Spiegel lenken mag!* Und nun hafteten sich gleich zwei der Lichtstrahlen an Shaithis' Fersen, der fast sein Reittier erreicht hatte.

Das war die Gelegenheit, auf die Jazz gewartet hatte. Er hätte wohl inzwischen Zek an der Hand nehmen und mit ihr nach Süden fliehen können, doch hatte er die ganze Zeit darauf gehofft, freie Schussbahn auf den Wamphyri-Lord zu erhalten. Nun sprang sein Ziel auf das riesige Reittier zu, und die Zwillingsstrahlen von oben folgten ihm. Er schlug nach ihnen, wie man in Verzweiflung nach Flammen schlägt, doch natürlich ohne jeden Erfolg. Shaithis sprang hoch und ergriff das Zaumzeug des Riesenbiests, wollte sich daran in den kunstvoll verzierten Sattel hochziehen. In diesem Moment erwischte ihn Jazz, der sich ungefähr ein Drittel des Magazins, vielleicht ein Dutzend Salven, dafür aufgespart hatte.

Er eröffnete das Feuer, sorgfältig gezielte Einzelschüsse, in der Hoffnung, dass wenigstens einer sein Ziel treffen werde.

Shaithis, der gerade in den Sattel klettern wollte, zuckte zusammen und rutschte wieder herunter, hielt sich jedoch immer noch am Zaumzeug fest. Jazz verfluchte die Zielungenauigkeit dieser automatischen Waffen mit ihrer kurzen Reichweite und zielte noch genauer und sorgfältiger. Sein nächster Schuss verfehlte Shaithis offensichtlich, traf jedoch das fliegende Reittier an einer empfindlichen Stelle, so dass es den Kopf hochriss, auf eine ganz eigenartige Weise schrie und mit dem Schwanz wie verrückt um sich schlug. Einen Augenblick später schob sich ein ganzes Nest schrecklicher Würmer aus dem Bauch des Wesens und drückte den mächtigen Rumpf nach oben. Immer noch hing Shaithis am Zaumzeug, und nun brachte er es tatsächlich fertig, sich mühevoll, doch sicher in den Sattel zu ziehen!

Zu dieser Zeit befanden sich die anderen Flugtiere bereits in der Luft, und Jazz bemerkte mit Erstaunen, dass auf beiden die Reiter saßen! Gustan zumindest hätte doch schwerer verletzt sein müssen, oder? Doch nun erinnerte sich Jazz an das fünfte Zusammentreffen. Den Krieger damals hatten Kugeln auch nicht aufgehalten; sie waren ihm höchstens unangenehm gewesen. Genauso war es nun bei Shaithis und seinen beiden Leuten.

Zek trat von hinten heran und klatschte ein neues Magazin in Jazz' wartende Hand. Er lud durch und suchte nach seinen Zielen, blickte hoch zu dem weißen Schleier von Sternen über den hohen Klippenwällen des Passes – *und sah mit Erschrecken, dass alle drei ›Ziele‹ im Sturzflug auf ihn zu schossen!*

»Jazz, runter! Runter!«, schrie Zek hysterisch. Sie und Wolf krochen auf dem Bauch zwischen herumliegende Felsbrocken, doch Jazz erkannte, dass ihn die fliegenden Bestien erreichen würden, bevor er sich in Sicherheit bringen konnte. Ein Versteck gab es für ihn nicht, doch er konnte sie möglicherweise ablenken.

Wieder fiel er auf ein Knie nieder und eröffnete aus vielleicht dreißig Metern Entfernung das Feuer, schickte ihnen einen stetigen Strom aus Blei entgegen. Shaithis flog in der Mitte, und auf ihn konzentrierte Jazz sein Feuer. Er bemühte sich, die Tiere und ihre Reiter zu durchsieben, schwenkte von links nach rechts und dann wieder zur Mitte, zu Shaithis. Wie er sie auf diese Entfernung verfehlen konnte, war ihm ein Rätsel, doch als die Tiere und ihre Wamphyri-Herren schon fast über ihm waren, begann er zu glauben, er habe sie tatsächlich verfehlt. Bis zum letzten Moment.

Denn als Jazz' Waffe mit leer geschossenem Magazin still blieb und er sich anschickte, sich hinter den nächsten Felsbrocken zu werfen, sah er endlich die Wirkung seiner Schüsse. Die drei gewaltigen Tiere bluteten dunkelrot aus Reihen von Löchern in den Vorderteilen ihrer Körper, und ihre Reiter schwankten in den Sätteln hin und her, konnten sich offensichtlich nur noch mit enormer Willenskraft oben halten.

Dann ...

Im Bauch von Shaithis' Flugross öffnete sich ein klaffender Mund, während es sich auf Jazz herabsenkte, eine gewaltige Falltür, deren mit Hornhaut bewachsener unterer Rand über die Felsen schabte, zwischen denen er geschützt lag, und der vor sich trockene Erde, Sand und Kiesel zusammenfegte. Einen Augenblick lang hatte sich völlige Dunkelheit über Jazz gesenkt, und er wäre an dem fauligen Tiergestank aus dem Riesenmaul fast erstickt, doch dann hob sich der Schatten über ihm. Die unbekannten Lenker der Spiegel hatten ihre Ziele wieder gefunden und badeten die fliegenden Bestien und ihre Reiter in blendende, sengende Lichtstrahlen. Und das Licht versengte sie tatsächlich böse, denn wo auch immer die Strahlen auftrafen, wallten stinkende Dampfschwaden von der Haut der Riesentiere auf, wie Wasser, das in der dünnen Luft großer Höhen auf der Oberfläche von Eis kocht.

Das war das Ende des Kampfes. Die auf ihren Sätteln schwankenden Wamphyri gaben sich geschlagen, lenkten ihre fliegenden Reittiere nach oben, kreisten noch ein paar Mal und verschwanden dann in Richtung Norden im Schatten hinter dem Gebirgskamm. Als das Flappen der ledrigen Flughäute verklungen war, schien es so still, dass Jazz vermeinte, das Herz in seiner Brust schlagen zu hören.

»Zek?«, rief er atemlos, nachdem er sich soweit gefasst hatte. »Geht's dir gut?«

Sie kam aus ihrem Versteck gekrochen und klopfte sich den Staub von der Kleidung. Alle drei – Mann, Frau und Wolf – standen nun im Lichtkegel der reflektierten Strahlen. »Mir geht es gut«, antwortete sie, doch ihre Stimme klang unsicher und zittrig. Jazz legte die MP weg und fasste nach ihr. Sie stolperte ihm in die Arme. Zuerst hielt er sie nur locker umfasst, aber dann drückte er sie fest an sich, auch, weil er sich selbst nach der Geborgenheit dieser Umarmung sehnte. Das Zusammentreffen mit den Wamphyri hatte ihn ziemlich erschüttert. Dies war eine ganz natürliche Reaktion. Zumindest redete er sich das ein.

Zek hing kurze Zeit in seiner Umarmung, und dann löste sie sich und schützte ihre Augen vor dem grellen Lichtstrahl vom westlichen Kamm des Passes. »Sie können uns beobachten«, sagte sie ein wenig verlegen.

Jazz verschwendete keine Zeit, ging zu seinem Gepäck hinüber und holte ein weiteres volles Magazin für seine MP heraus. Er ließ es einrasten. Dann setzte er sich auf den Boden, öffnete einige kleine Munitionsschachteln und begann damit, die leer geschossenen Magazine nachzuladen. Da brach seine Ausbildung einfach durch. Bei der Arbeit fragte er Zek: »Wie ich annehme, wurden wir gerettet – aber von Freunden?«

Wie zur Antwort ertönte von der Höhe herab ein Ruf, der gleich mehrere Echos warf: »Zekintha – bist du das? Ist alles in Ordnung?« Die Stimme klang angespannt, und auch etwas Angst schwang darin mit.

»Lardis Lidesci!«, hauchte sie. Dann beantwortete sie die Frage: »Ja, man hat uns gerettet. Ich habe von Lardis nichts zu befürchten, außer Lardis selbst! Er mag mich halt ein bisschen, das ist alles. Aber du kannst sicher sein, dass er ein guter Mann ist!« Dann bildete sie mit den Händen einen Trichter vor ihrem Mund und rief zurück: »Lardis, es geht uns gut!«

»Komm weg vom Pass«, erklang seine Stimme einen Augenblick später. »Du bist dort nicht sicher!«

»Der merkt auch alles!«, knurrte Jazz. Er steckte die geladenen Magazine in seinen Tornister zurück und bat Zek: »Hilf mir mal, das Ding hoch zu wuchten!«

Als sie wieder in Richtung Süden ausschritten, sahen sie das Glitzern mehrerer Spiegel an der westlichen Steilwand, wo die untergehende Sonne noch immer die zerklüfteten Felsen golden färbte. Die glitzernden Lichtreflexe bewegten sich langsam die Felsen abwärts, und manchmal zeichneten sich dahinter die winzigen Umrisse von Menschen vor dem Sternenhimmel ab. Von der Passstraße weiter vor ihnen erklang das Bimmeln von Glöckchen und schließlich auch das schwere Schnaufen rennender Männer, die auf Zek, Jazz und Wolf zu kamen.

Aus fliehenden Schatten wurden die Gestalten von Männern in der typischen Kleidung der Traveller. Ihre Mienen waren besorgt. Es waren nicht die Männer aus Arleks Trupp – die Gesichter waren Jazz unbekannt. Zek jedoch erkannte sie, und sie atmete tief und erleichtert durch. »Oh ja, jetzt sind wir in Sicherheit«, sagte sie leise.

Tatsächlich? dachte Jazz. *Ich auch? Was wird wohl dein Lardis Lidesci von mir halten?*

Aus ein oder zwei Kilometern Entfernung weiter im Süden erklangen schrille Schreie, die sich zu einem Crescendo der Angst steigerten und dann abbrachen. Dann herrschte wieder Schweigen. Jazz schauderte. In der Ferne erhoben sich flackernd gelbe und rote Flammen.

Jazz stapfte müde neben Zek her. Die Botenläufer zu beiden Seiten spornten sie zu schnellerem Lauf an. Wolf hielt sich in den Schatten an der Seite des Passwegs.

Jazz fragte Zek: »Was glaubst du – wie ist das jetzt alles so schnell gekommen?«

Zeks Gesicht war sehr blass. »Ich nehme an, Lardis hat sich Arlek vorgeknöpft«, antwortete sie leise.

»Sich Arlek vorgeknöpft?«

Sie nickte. »Arlek war überehrgeizig. Das ist wohl noch kein Verbrechen, aber er war eben auch ein Verräter – und ein Feigling! Er wollte auf Kosten anderer mit den Wamphyri Geschäfte machen. Lardis hat ihn schon mehrmals davor gewarnt. Nun muss er ihn nicht noch einmal warnen.«

»Also glaubst du, dass er ihn getötet hat?« Jazz nickte in sich hinein. »Ziemlich raue Sitten hier.«

»Es ist ja auch eine raue Welt«, kommentierte sie lediglich.

Jazz hörte innerlich immer noch Arleks verzweifelte Schreie. »Und wie hat Lardis das angestellt?«

Zek sah zur Seite. »Die Strafe dürfte dem Vergehen entsprochen haben«, sagte sie schließlich zögernd. »Meiner Meinung nach ist Arlek den Tod eines Vampirs gestorben: einen Pflock durch das Herz, den Kopf abgeschlagen und anschließend verbrannt.«

»Oh?« Jazz dachte darüber nach und nickte wieder. »Um völlig sicher zu gehen, ja?«

Ihre Antwort enthielt keine Spur von Humor. »Stimmt«, sagte sie kurz. »Um absolut sicher zu gehen. Vampire sind schwer zu töten, Jazz!«

Er schüttelte den Kopf und dachte: *Mein Gott, du bist vielleicht abgebrüht!*

»Nein, bin ich nicht«, ging sie auf seinen Gedanken ein, wobei sie seine Hand ergriff und fest drückte. »Ich bin lediglich schon länger hier als du ...«

Lardis Lidesci war ganz anders, als Jazz erwartet hatte. Er war etwa einen Meter und siebzig groß, hatte lange Haare und – genau wie Jazz – lange Arme, doch im Gegensatz zu Jazz' katzenhafter Geschmeidigkeit wirkte er so massiv wie ein Nashorn. Und er war jung – drei oder vier Jahre jünger als Jazz – und trotz seines gedrungenen Körperbaus erstaunlich beweglich. Das betraf nicht nur die physische Seite; Lardis' Intelligenz leuchtete aus jeder braunen Falte in seinem ausdrucksvollen Gesicht. Die meisten dieser Fältchen schienen vom Lachen herzurühren. Offen und freimütig wirkte dieses Gesicht, eingerahmt von langem, dunklem Haar, dazu wies es buschige Augenbrauen auf und einen breiten Mund voller kräftiger, wenn auch etwas schief stehender Zähne. In seinen braunen Augen war keine Missgunst oder Bösartigkeit zu sehen; sie lächelten sehr häufig, konnten aber auch nachdenklich dreinblicken. Auf der Erde, die Zek und Jazz so weit hinter sich gelassen hatten, hätte Lardis durchaus ein Profi-Catcher sein können; er machte jedenfalls den Eindruck. Unter den Menschen in dieser von Vampiren tyrannisierten Umgebung hinter dem Tor mochte er ein geborener Anführer sein. Jedenfalls stand der größte Teil seines etwa fünfhundert Mitglieder umfassenden Stammes bis zum Letzten hinter ihm. Arlek war eine der wenigen Ausnahmen gewesen, und er lebte nun nicht mehr.

Seit er den Rang des Stammesführers vor fünf Jahren von seinem Vater übernommen hatte, der sich seiner Gicht wegen kaum noch bewegen konnte, war es ihm gelungen, seine Traveller vor der Bedrohung durch die Wamphyri ganz effektiv zu beschützen. Der Stamm hatte andere Familienclans und kleinere Splittergruppen aufgenommen und sich vergrößert. Wohl war er immer noch nicht so groß wie einige der östlichen Stämme, aber sie wurden kaum noch von den Wamphyri belästigt und zogen so den Neid anderer Stämme auf sich. Nicht einen einzigen erfolgreichen Überfall durch die Wamphyri hatte es in Lardis' Zeit gegeben, und das hatte mehrere Gründe.

Der eine lag in der grundlegenden Unvereinbarkeit der Anschauungen von Lardis und Arlek. Dieser Gegensatz war so stark gewesen, dass er nun zur endgültigen Beseitigung Arleks geführt hatte. Lardis glaubte keineswegs, dass die Wamphyri die natürlichen und rechtmäßigen Herren dieser Welt seien, und er glaubte auch nicht, dass ein vernichtender Überfall auf seinen Stamm unvermeidbar war. Er würde sich den Herrschaftsansprüchen der Wamphyri *nicht* beugen und ihnen nachgeben. Andere Traveller hatten es auf diese Weise versucht – auch jetzt noch – doch die Unterwerfung hatte ihnen überhaupt nichts eingebracht. Gorgan Lidesci, sein Vater, erzählte immer von alten Zeiten und seinem ursprünglichen Stamm, als er noch ein Junge gewesen war.

In jenen Tagen hatte für eine Weile unter den Wamphyri so etwas wie Frieden geherrscht. Das ermöglichte es den Lords, ihre Streitkräfte zu sammeln und gemeinsam viel effektivere Überfälle durchzuführen. Gorgans Stamm – einer der größeren, von einem Ältestenrat geführt – hatte versucht, einen Handel mit den Wamphyri abzuschließen, eine Art von beiderseits zufrieden stellendem Status Quo herbeizuführen. Vor jedem Sonnunter schickte Gorgans Stamm einen Trupp aus, um unter den kleineren Traveller-Stämmen und -Familien Gefangene zu machen. Diese bestanden manchmal nur aus zwei oder drei Familien und nicht mehr als dreißig oder vierzig Mitgliedern. Da sie über die gesamten Abhänge auf der Sonnenseite verstreut lebten, war es nicht schwer, vor jedem Sonnunter einen ›Tribut‹ von etwa hundert Menschen einzufangen. Die langen Nächte hindurch hielt man sie gefangen, damit man sie den Wamphyri im Falle eines Überfalls als Opfer anbieten konnte. Die Mitglieder des Ältestenrats von Gorgans Stamm glaubten, solange man den Wamphyri diese Gefangenen als Tribut darbrachte, hätten die Herren es nicht nötig, die Hand zu beißen, die sie nährte.

Das bewährte sich auch einige Nächte und sogar Jahre lang. Es gab Zeiten, da die Wamphyriüberfälle häufig erfolgten, und andere, da sie Gorgans Stamm überhaupt nicht fanden, denn die Traveller waren ständig in Bewegung, blieben nie lange am gleichen Ort. Diese Eigenschaft war ihnen in den langen Jahrhunderten mit ihren unzähligen Überfällen in Fleisch und Blut übergegangen. Wurden sie tatsächlich einmal nicht entdeckt, setzte man die Gefangenen wieder frei, um für sich selbst zu sorgen – bis zur nächsten Gefangennahme vielleicht, wenn die Sonne erneut im Sinken begriffen war.

Und falls die Wamphyri wirklich kamen, übergab man den Lords, den Kriegern und Untoten ihren Tribut von einhundert Menschen, und sie trollten sich wieder. Kurz gesagt, die Wamphyri kamen als Steuereintreiber und taten jenen nichts, die diesen regelmäßigen menschlichen Tribut zahlten.

Das führte dazu, dass die Menschen in Gorgans Stamm fett, bequem und immer sorgloser wurden. Sie verloren ihren angeborenen Drang zum Weiterziehen, um die Überfälle der Wamphyri zu meiden, sie benutzten regelrechte Straßen, Wasserlöcher und Raststellen, und ihre Züge entlang der Hänge auf der Sonnenseite wurden immer vorhersehbarer. Im Gegensatz zur Natur der Traveller war an ihren Zügen nichts Geheimnisvolles mehr. Sie verbargen sich nicht mehr und waren deshalb leicht aufzuspüren. Die Nächte voller Frieden und Ruhe wurden wohl seltener, denn immer häufiger tauchten die Wamphyri auf und verlangten ihren Tribut, aber was machte das schon? Der Stamm lebte doch in Sicherheit, oder?

Sicherheit – doch nur solange, bis die vorübergehende Allianz aus einer Hand voll der Wamphyri-Lords zerbrochen war, bis sie sich gestritten hatten und übereinander hergefallen waren. Und dann baute jeder einzelne dieser Lords seine eigene Streitmacht wieder auf, füllte seine Lagerhäuser, befestigte die alten territorialen Grenzen und kehrte wieder zu den Traditionen der Wamphyri zurück. Denn wenn sich die Heere auf den Krieg vorbereiteten – nicht gegen einen gemeinsamen Feind, sondern untereinander, jeder Lord gegen seine Nachbarn – griff jeder von ihnen auf sämtliche erreichbaren Ressourcen zurück, ohne an Vorratswirtschaft zu denken. Und die natürlichen Nahrungsressourcen der Wamphyri waren schon immer Fleisch und Blut der Traveller gewesen!

In einer einzigen Nacht des Schreckens, der Zeit zwischen Sonnuntergang und Sonnenaufgang, also nur vierzig Stunden, wurde Gorgans Stamm ausgerottet! Die Wamphyri waren gekommen: zuerst Shaithis, um den üblichen Tribut zu fordern, den er auch erhalten hatte, dann Lesk der Vielfraß und schließlich Lascula Langzahn. Es hätten noch mehr kommen können – Belath und Volse und die anderen – aber da war schon nichts mehr vorhanden, was sie hätten mitnehmen können, oder falls sie doch gekommen waren, befanden sich die wenigen Überlebenden nicht mehr in den üblichen Verstecken, um auf sie zu warten. Denn als die Lords Lesk und Lascula nach Shaithis angekommen waren und keinen Tribut mehr vorgefunden hatten, machten sie sich ganz einfach daran, zuerst den Ältestenrat zu töten und dann die Blüte des Stammes wie Vieh wegzutreiben. Woraufhin die Hand voll der Überlebenden, etwa fünfzig Alte und hundert Kinder, geflohen waren und sich verbargen, wo immer sie ein Versteck fanden. Und Asyl gewährte man ihnen nirgends, denn die meisten der Traveller verachteten und verabscheuten die Mitglieder von Gorgans Stamm. Nach dieser Nacht existierte der Stamm nicht mehr, und der junge Gorgan hatte sich geschworen, niemals wieder an ›Geschäfte‹ mit den verräterischen Wamphyri zu glauben. Lardis war der gleichen Meinung: Lasse die anderen Stammesführer tun, was sie wollen, ihrer eigenen Wege gehen – seine Leute würden sich jedenfalls niemals den Wamphyri unterwerfen oder Brüder und Schwestern unter den Travellern aus purem Eigennutz den unmenschlichen Herren der Sternseite ausliefern.

Und Lardis' Überzeugung wurde ihnen zum Vorteil. Es gab noch immer Stämme, die den Wamphyri auf die eine oder andere Art Tribut zollten, vor allem, indem sie ihnen entweder gefangene Traveller der anderen Stämme anboten, oder Lose zogen und Mitglieder des eigenen Stammes auslieferten, die unglücklich genug waren, das falsche Los gezogen zu haben. Diese demütigen Speichellecker der Wamphyri kamen zumeist aus Stämmen in Osten, die häufig mehr als tausend Mitglieder zählten. Diese Größe schützte sie vor Racheakten der Stämme ihrer Opfer und gestattete ihnen auch diesen regelmäßigen Aderlass, ohne sie wesentlich zu schwächen. Sie lebten auf der Ostseite des Passes, denn dort gab es reichlich Wild, und das Überleben fiel ihnen auf gewisse Weise leichter. Das war Lardis klar, und so hielt er sich mit seinem Stamm westlich des Passes auf. Dort war das Überleben ein wenig schwerer, aber die Sicherheit vor den Wamphyri größer. Während die Sonne am Himmel stand, hatte er Wachen auf der südlichen Seite des Passes aufgestellt, um die auf der Wanderschaft befindlichen Stämme der Traveller besser beobachten zu können und Informationen bezüglich ihrer Stärke, ihrer Einstellung und jeder möglichen Gefahr für seinen eigenen Stamm zu gewinnen.

Lardis führte nicht grundsätzlich Krieg gegen die Traveller, die sich den Wamphyri beugten. Er zog es vor, ihnen weitgehend auszuweichen. Falls sie allerdings ihm gegenüber kriegerisch gesinnt waren, war sein Stamm immer gut vorbereitet. Seine Männer und sogar viele der jungen Frauen waren geübte Kämpfer und äußerst gefährliche Gegner. Sie hatten sich bei Hinterhalten, Fallen und im Kampf mit bloßen Händen bewährt, und sie konnten mit allen möglichen Waffen umgehen. Bei den wenigen Überfällen von außen, die sie erlebt hatten, waren die Gegner bitter bestraft worden. So hatte sich in den fünf Jahren seiner Führung die Legende ausgebreitet, man dürfe sich auf keinen Fall mit ihm anlegen. Er hieß kleine Gruppen von Neuankömmlingen im Stamm willkommen, doch größere Clans und ganze Stämme nahm er grundsätzlich nicht auf. Sein Motto war klar: Ein Stamm mittlerer Größe ist am sichersten. Nicht groß genug, um das gesteigerte Interesse der Wamphyri zu wecken, aber doch etwas zu stark und kampferprobt, um zu Überfällen durch von den Wamphyri abhängige Stämme zu reizen. Bisher jedenfalls war diese Politik genau die richtige gewesen.

Doch Lardis' skeptische Haltung und sogar Leugnung der Überlegenheit der Wamphyri und seine Abscheu bei dem bloßen Gedanken an eine Einigung mit diesen waren nicht die einzigen Gründe für seinen Erfolg. Oh ja, er erkannte sehr wohl die rein *physische* und *taktische* Überlegenheit der Vampirlords – ihre Stärke und Grausamkeit, der Schrecken, den ihre gewaltigen Reittiere verbreiteten, die flinken, lautlosen Fledermauskundschafter und die enorme taktische Beweglichkeit ihrer Herren – aber er kannte durchaus auch ihre Schwächen und verstand es, diese zu nutzen. Sie konnten ihre Überfälle nur bei Nacht wagen, für gewöhnlich kurz vor oder kurz nach dem einen oder anderen ihrer ständigen Kleinkriege untereinander – um ihre Kriegsvorbereitungen zu unterstützen oder die durch den Krieg verminderten Vorräte aufzufrischen – und sie führten diese Überfälle meist in höchster Eile durch. Sie wollten nicht zu viel Zeit auf der Sonnenseite verbringen, denn während sie sich dort aufhielten, mussten sie Aktionen ihrer Feinde von der Sternseite in ihrem Rücken befürchten. Es war durchaus öfter mal geschehen, dass eine Felsfestung erobert und besetzt wurde, während ihr Besitzer auf der Sonnenseite die Traveller überfiel. Es war Lardis auch bekannt, dass die Wamphyri nur selten westlich des Passes auftauchten, denn die meisten Nomadenstämme, und besonders diejenigen, welche die Wamphyri als ihre Herren anerkannt hatten, lebten im Osten. Warum sollten die Wamphyri also ihre Zeit mit Raubzügen im Westen verschwenden, wenn ihnen im Osten die Beute auf dem Tablett serviert wurde? Trotz ihres viel zitierten Stolzes und ihrer Arroganz waren die Wamphyri nämlich im Grunde faul! Wenn sie nicht gerade wieder einen Krieg führten oder auf Raubzug aus waren, planten sie voller Hingabe neue Kriege oder schliefen sich aus. Auch das war eine Schwäche. Lardis Lidesci schlief nur selten, und bei Sonnunter konnte er sich ohnehin nur ein gelegentliches Nickerchen leisten.

Eine weitere Schwäche der Wamphyri lag darin, dass sie zwar sehr schwer zu töten waren, aber *auch sie konnten letzten Endes getötet werden*, und Lardis wusste, wie man das anstellen musste. Für die Vampire gab es zwei verschiedene Tode, die sie sterben konnten: durch die Hand anderer Vampire beispielsweise. Diese Möglichkeit zogen die Wamphyri – wenn auch ungern – in Betracht. Doch durch die Hand irgendeines der verachteten Traveller? Niemals! Worin hätte da Ruhm und Ehre gelegen? Wie konnte man auf *solche* Weise aus dem Leben gehen? Lardis hatte noch keinen der Lords getötet, doch zwei andere, die nach diesem höchsten Rang unter den Wamphyri strebten. Sie waren Söhne und Offiziere von Lesk, dem Vielfraß, gewesen, die versucht hatten, ihn in der Stunde gerade vor Sonnauf zu überfallen, in der Hoffnung, ihn und die Seinen beim Auftauchen aus dem Höhlenversteck zu überraschen. Nur kannte Lardis die Bedeutung des Wortes ›Überraschung‹ gar nicht.

Durchbohre das Herz eines Vampirs mit einem harten Holzpflock, schlage ihm den Kopf ab und verbrenne seinen Leichnam ... dann ist er wirklich tot. Doch Lardis hatte an Lesks Söhnen ein Exempel statuiert. Er hatte sie gepfählt und der Sonne ausgesetzt. So waren sie langsam und unter qualvollen Schreien verdampft. Sollten doch andere Traveller vor den Schwierigkeiten zurückschrecken, Vampire zu töten, aber nicht Lardis! Unter den Wamphyri hatte sein Name einen gewissen Ruf und er genoss sogar so etwas wie ihre Anerkennung. Wenn man in der Lage war, Jahrhunderte lang zu leben, beinahe unsterblich zu sein, war es unklug, sich gegen Menschen wie Lardis zu stellen, die – falls sie die Möglichkeit hatten – die Lebensspanne eines Vampirs so schnell und grausam verkürzten!

Dann war da noch die Furcht der Wamphyri vor Silber. Dieses Metall war für sie ein Gift mit etwa der gleichen Wirkung wie Blei für Menschen. Lardis hatte in den westlichen Vorbergen eine kleine Silberader entdeckt und ausgebeutet. Nun hatten seine Pfeile silberne Spitzen. Die Waffen ließ er generell mit dem Saft der Kneblasch-Wurzel einreiben, deren knoblauchähnlicher Geruch die Vampire teilweise lähmte. Sie mussten sich danach endlos übergeben, und die Störungen in ihrem Nervensystem hielten tagelang an. Wenn eine mit Kneblaschsaft eingeriebene Klinge beispielsweise den Arm eines Wamphyri ritzte, musste er dieses Körperteil abwerfen und einen neuen Arm wachsen lassen.

Es war nicht so, dass all diese Dinge Geheimnisse gewesen wären und nur Lardis' Stamm bekannt – alle Traveller besaßen dieses Wissen seit undenklichen Zeiten – doch Lardis war der Einzige, der es auch zur Verteidigung seines Stammen *anwandte!* Die Wamphyri hatten den Travellern grundsätzlich den Gebrauch von Spiegeln aus Bronze und Silber untersagt, genau wie die Verwendung von Kneblasch-Saft, und ihnen Folter und Tod angedroht, sollten sie doch dazu greifen. Lardis scherte sich nicht darum. Er war ohnehin ein gezeichneter Mann, und mehr als einmal kann man nicht sterben ...

Das waren einige der Dinge, die Lardis bei der Führung und Verteidigung seines Stammes beeinflussten. Doch es gab noch ein weiteres Element, das er nicht unter Kontrolle hatte, das sich jedoch trotzdem vorteilhaft auswirkte und seine übrigen Maßnahmen ergänzte. Hoch droben unter den westlichen Gipfeln lebte in einem kleinen, fruchtbaren Tal jemand, den die Wamphyri fürchteten und als ›Herrn des westlichen Gartens‹ bezeichneten. Die Legenden um diese geheimnisvolle Figur waren der Hauptgrund für Lardis' Abwesenheit gewesen. Offiziell hatte er nach neuen Pfaden und Zufluchten für seinen Stamm gesucht (und auch mehrere gefunden), doch in Wirklichkeit hatte er sich bemüht, den Herrn aufzuspüren. Er war der logischen Meinung, dass alles, was schlecht für die Wamphyri war, gut für den Stamm von Lardis sein musste. Außerdem hatte es schon seit Jahren Gerüchte gegeben, dass der Herr des westlichen Gartens denjenigen Asyl gewährte, die es wagten, ihn aufzusuchen. Das stellte für Lardis selbst keine Verlockung dar, obgleich es natürlich wundervoll wäre, wenn der Stamm eine sichere, dauerhafte Heimstätte fand, doch wenn der Herr die Macht hatte, den Wamphyri zu widerstehen ... das reichte aus, um ihn unbedingt aufsuchen zu müssen. Lardis wollte von ihm lernen und mit den neu gewonnenen Kenntnissen die Wamphyri sogar in ihren sicher geglaubten Felsfestungen angreifen.

Er hatte also nach dem Herrn gesucht – und ihn auch gefunden!

Nun war er von dieser Suche zurückgekehrt – gerade rechtzeitig, um Zekintha, die Frau aus dem Höllenland, vor Arleks Verrat zu retten. Zekintha ... und diesen Neuankömmling, von dessen Kampfkünsten Arleks Anhänger beinahe schon mit Ehrfurcht berichtet hatten. Im Kampf Mann gegen Mann und ohne die Unterstützung seiner Leute hatte Arlek gegen Jazz überhaupt keine Chance gehabt. Nun, wenn es etwas gab, das Lardis Lidesci imponierte, dann war es ein guter und fairer Kämpfer. Oder auch ein guter und unfairer!

Lardis beobachtete sie, wie sie den Passweg entlang auf ihn zu kamen. Er trat vor, um sie zu begrüßen. Zek nahm er in die kräftigen Arme und küsste ihr rechtes Ohr. »Reiße die Berge ein!«, grüßte er sie. Und: »Ich bin froh, dass du in Sicherheit bist, Zekintha!«

»Gerade so eben«, antwortete sie atemlos. »Das habe ich ihm zu verdanken«, fuhr sie fort und nickte in Richtung Jazz.

Jazz, der nun ziemlich erschöpft war, streifte sein Gepäck ab, als werfe er einen Anker aus, nickte zurück und sah sich im Dämmerlicht des Tales um. Männer und Wölfe liefen im Schatten der hohen Klippen geschäftig umher. Das Klingeln ihrer Fußglöckchen und ihre leisen Unterhaltungen erschien Jazz normal und angenehm. Doch inmitten eines großen Steinhaufens in der Nähe der westlichen Steilwand brannte ein mächtiges Feuer. Schwarzer Qualm quoll in der stillen Luft des Tales als fast senkrechte Säule hoch. Er vermutete, dass dort Arleks Überreste verbrannt wurden.

Etwa hundert Meter weiter südlich krümmte sich das Tal ein wenig nach Osten, und dort begann der lang gezogene Abstieg zu den von hier aus nicht sichtbaren Vorbergen auf der Sonnenseite. Die Strahlen der untergehenden Sonne fielen geradewegs durch diesen letzten Abschnitt des Passes auf die zerklüftete, mit Spalten und Vorsprüngen übersäte Westflanke des Tales. Von dort herab eilten nun – wendig und beweglich wie Bergziegen – sechs männliche Traveller, die große Spiegel wie Schilde vor sich her trugen, mit denen sie die Sonnenstrahlen in die Düsternis der Schlucht im Norden hinein reflektierten. Jazz runzelte die Stirn, als der erste Spiegelträger sich näherte. Dieser große Spiegel war doch sicherlich aus Glas gefertigt, oder? Besaßen die Traveller solche technologischen Möglichkeiten?

Lardis sah zu, wie Jazz sich von allem Gepäck befreite, und

dann kam er lächelnd und mit ausgestreckter rechter Hand auf ihn zu. Jazz wollte die Hand ergreifen, erwischte jedoch gleich den Unterarm seines Gegenübers. Lardis' Griff schloss sich ebenfalls um seinen Unterarm. Das war mit Sicherheit die Begrüßung bei den Travellern.

»Einer aus dem Höllenland«, stellte Lardis fest. »Wie nennst du dich?«

»Michael Simmons, aber meine Freunde nennen mich Jazz.«

Wieder nickte Lardis. »Dann werde ich dich für den Moment auch Jazz nennen. Aber ich brauche Zeit, um mir über dich klar zu werden. Ich habe Gerüchte über andere aus dem Höllenland gehört, manche haben sich auf die Seite der Wamphyri geschlagen und arbeiten als Magier für sie.«

»Wie du bemerkt haben wirst«, entgegnete Jazz, »gehöre ich nicht zu ihnen. Und ich glaube auch nicht, dass irgendjemand aus dem Höllenland freiwillig zu den Wamphyri überlaufen würde!«

Lardis zog Jazz zur Seite zu einer Stelle, an der eine Gruppe von Männern verloren und mit hängenden Köpfen auf zerbrochenen Felsblöcken saß. Lardis' Männer bewachten sie. Die Gruppe bestand aus Anhängern Arleks. Jazz erkannte ein paar der Gesichter. Als die beiden auf die Gruppe zu schritten, sanken die Köpfe noch tiefer herab.

Lardis funkelte sie an und sagte: »Arlek hätte euch, wäre er an meiner Stelle, dem Wamphyri-Lord Shaithis übergeben. Aber er war ein großer Feigling, und er strebte die Führung dieses Stammes an. Du hast das Feuer dort drüben gesehen, Jazz?«

Jazz nickte. »Zek hat mir gesagt, was du unternehmen würdest.«

»Zek?« Lardis' Lächeln wurde ein wenig schwächer. »Hast du sie schon früher gekannt? Bist du gekommen, um sie zu suchen und zurückzubringen?«

»Ich kam her, weil ich keine andere Wahl hatte«, antwortete Jazz ehrlich, »nicht Zeks wegen. Ich hatte von ihr gehört, aber wir haben uns erst jetzt und hier kennen gelernt. In unserer Heimatwelt sind unsere Völker ... nicht gerade befreundet.«

»Aber hier seid ihr beide sozusagen Landsleute, Fremde in einer fremden Welt, und das verbindet euch.« Lardis' Einschätzung war akkurat, soweit er das beurteilen konnte.

Jazz zuckte die Achseln. »Ja, ich schätze schon.« Er sah Lardis direkt in die Augen. »Wirst du aus Zek ein Problem machen?«

Lardis' Miene änderte sich nicht. »Nein«, sagte er. »Sie ist eine freie Frau. Ich habe keine Zeit für solche Kleinlichkeiten. Mir liegt vor allem an meinem Stamm. Ich habe mir meine Gedanken in Bezug auf Zekintha gemacht, aber ... sie wäre eine zu starke Ablenkung. Außerdem wäre sie wahrscheinlich eine bessere Freundin und Ratgeberin als eine Ehefrau. Dazu kommt sie aus dem Höllenland. Ein Mann sollte jemandem, den er nicht versteht, auch nicht zu nahe stehen.«

Jazz lächelte. »Der Ort, den ihr als das Höllenland bezeichnet, ist sehr groß und beherbergt viele Völker und Kulturen. Es würde euch dort vielleicht vieles fremdartig vorkommen, aber bestimmt nicht wie die Hölle!«

Lardis zog die Augenbrauen hoch und überlegte. »Zekintha behauptet das Gleiche«, sagte er schließlich. »Sie hat mir eine Menge von eurer Welt erzählt: Waffen, größer als alle Flugtiere der Wamphyri zusammengenommen, ein Kontinent mit schwarzer Bevölkerung, die an Hunger und Krankheiten dahin stirbt, Kriege in jeder Ecke, Maschinen, die denken und rennen und fliegen – brüllend und mit Feuer und Rauch erfüllt ... Es hört sich für mich durchaus nach Hölle an!«

Jazz lachte schallend. »Wenn man es so sieht, könntest du Recht haben!«, kommentierte er. Er hatte seine Maschinenpistole behalten und rückte den Gurt auf seiner Schulter zurecht.

Lardis sah die Waffe an und sagte: »Deine ... Schusswaffe? Dieselbe, wie Zekintha eine hatte. Ich habe gesehen, wie sie damit einen Bären erlegt hat. Der Bär hatte mehr Löcher als ein Fischernetz! Jetzt ist sie kaputt, aber sie trägt die Waffe immer noch mit sich herum.«

»Man kann sie reparieren«, sagte Jazz. »Ich werde das erledigen, sobald ich Zeit habe. Aber deine Leute verstehen doch, mit

Metall umzugehen. Es überrascht mich, dass noch niemand versucht hat, sie zu reparieren.«

»Alle haben Angst davor«, gab Lardis zu. »Ich auch. Diese Dinger machen eine Menge Lärm ...«

Jazz nickte zustimmend. »Aber Lärm tötet keine Wamphyri«, fügte er hinzu.

Lardis reagierte sofort auf diese Bemerkung. Er erschien Jazz jetzt aufgeregt wie ein Kind. »Ich habe das Knattern vorhin gehört. Das Echo kam aus dem Pass bis zu uns herüber. Hast du wirklich Shaithis angegriffen?«

»Sogar auf kurze Entfernung.« Jazz grinste trocken. »Hat uns nicht viel eingebracht. Ich habe ihre Flugbiester ganz schön durchlöchert, und sie selber wohl auch, glaube ich wenigstens. Es hat sie nicht aufhalten können.«

»Besser als gar nichts!« Lardis schlug ihm auf die Schulter. »Ihre Wunden brauchen Zeit, um zu heilen. Damit haben die Vampire in ihnen etwas zu tun, und sie richten eine Weile nichts anderes mehr an.« Dann wurde er wieder nachdenklich. »Diese Männer dort«, er nickte in Richtung auf die kleine Gruppe der Unglücklichen, »waren Arleks Gefolgsleute. Hätten sie ihren Willen bekommen, wärt ihr beiden mittlerweile Futter für die Vampire. Mit deiner Waffe könntest du sie im Handumdrehen auslöschen!« Er schnippte noch ergänzend mit den Fingern.

Zek war hinter sie getreten, hörte, was Lardis sagte und riss die Augen empört auf. Diejenigen, von denen er (laut genug) gesprochen hatte, richteten sich voller Angst und Anspannung auf. Jazz sah sie an und erinnerte sich daran, dass einige von ihnen Arleks Ansichten nur sehr zögernd und widerwillig geteilt hatten. »Arlek hat sie zum Narren gehalten«, antwortete er Lardis. »Große Narren! Und du warst nicht da, um ihnen die Köpfe zurechtzurücken. Wie du schon bemerkt hast, war er ein Feigling, und er benötigte andere zur Unterstützung. Die hier waren dumm genug, auf ihn zu hören. Offensichtlich bereuen sie das nun. Aber du willst sie als Verräter verurteilen, nicht als die Narren, die sie waren!«

Lardis blickte Zek grinsend an. »Das hätte ich genauso gesagt«, stellte er fest, woraufhin sie sich entspannte und tief durchatmete. »Andererseits«, fuhr Lardis fort, »hat dich einer dieser Männer von hinten niedergeschlagen. Verspürst du keinen Zorn deshalb?«

Jazz berührte die schmerzhafte Beule hinter seinem Ohr. »Schon etwas«, gab er zu. »Aber nicht genug, um ihn deshalb umbringen zu wollen. Vielleicht könnte ich ihm stattdessen eine Lektion erteilen?« Er fragte sich, worauf Lardis hinauswollte. Offenbar hatte man ihm berichtet, wie Jazz mit Arlek fertig geworden war. Möglicherweise wollte er ihn selbst einmal kämpfen sehen? Es wäre ein großer Vorteil für den Stamm, hätten sie einen Mann gewonnen, der sie im Kampf mit bloßen Händen unterrichtete.

»Du möchtest ihm eine Lektion erteilen?« Lardis grinste. Jazz hatte richtig getippt. Lardis ging zu der Gruppe und schubste die Männer grob herum. »Wer von euch hat ihn geschlagen?«, wollte er wissen.

Ein junger, kräftig gebauter Mann stand zögernd auf. Lardis deutete auf eine von Steinen einigermaßen freie Fläche. »Dort hinüber!«, grollte er.

»Warte!« Jazz trat vor. »Machen wir wenigstens einen fairen Kampf daraus. Allein hat er keine Chance. Hat er irgendeinen Freund? Einen wirklich engen Freund?«

Lardis zog die ausdrucksvollen Augenbrauen hoch und zuckte die Achseln. Er sah den jungen Mann finster an und fragte: »Also? Ich halte es ja für unwahrscheinlich.«

Ein anderer junger Mann, untersetzter, kantiger und weniger ängstlich, stand nun auf. Als er zu dem ersten auf die freie Fläche trat, dachte Jazz: *Dich werde ich zuerst fertig machen!*

Laut sagte er: »Das dürfte genügen.« Er sah nach, ob seine Maschinenpistole auch wirklich gesichert war, und reichte sie Lardis, der sie zögernd entgegennahm und ungeschickt hielt.

Jazz trat auf seine beiden Gegner zu. »Greift an, wann ihr wollt«, sagte er locker. »Außer ihr habt nicht den Mut dazu.

Dann kniet nieder und küsst meine Stiefel!« So wollte er sie provozieren, ihre Selbstbeherrschung zu verlieren und hastig anzugreifen.

Sein Manöver gelang.

Sie sahen sich gegenseitig an, holten tief Luft und gingen wie junge Stiere auf ihn los. Und fast genauso wild.

Jazz hatte sich entschlossen, Lardis einiges zu zeigen. Er wich dem Ansturm des Mannes aus, der ihn geschlagen hatte, wobei er ihm einen Handkantenschlag in den Nacken mitgab, als er an ihm vorbeistürmte. Nicht hart genug, um ihn kampfunfähig zu machen – noch nicht – aber es genügte, ihn halb betäubt zu Boden gehen zu lassen.

Der zweite Mann war nicht nur stämmiger, sondern auch vorsichtiger. Er warf sich im Sprung herum und tauchte ab, wobei er versuchte, Jazz' Beine zu erwischen, um ihn zu Fall zu bringen. Das misslang, weil Jazz hochsprang und seinem stolpernden Körper auswich. Er griff an, sobald sein Gegner wieder auf die Füße kam. Er täuschte einen Schlag zum Kopf des Gegners an. Der sah ihn kommen und zuckte mit dem Oberkörper zurück, um dem Schlag auszuweichen – wobei er seine untere Körperhälfte ungeschützt ließ. Jazz trat ihn voll in den Unterleib, allerdings wiederum nicht hart genug, um ihn zum Krüppel zu machen. Der Mann krümmte sich zusammen und fiel wie ein Stein zu Boden.

Der erste war wohl angeschlagen, stand aber wieder auf den Beinen. Er hatte einen Stein aufgehoben und umkreiste Jazz nun auf der Suche nach einer Lücke in dessen Deckung. Jazz hatte lange Beine und wusste aus Erfahrung, dass er mit den Beinen unter Umständen eine größere Reichweite hatte als mit den Armen. Außerdem war dies kein Boxkampf. Er drehte sich halb von dem Mann mit dem Stein weg, woraufhin dieser sofort vortrat. Aber in der Drehung knickte Jazz kurz mit dem halben Körper ein und vollführte mit dem rechten Bein einen klassischen Kick zum Arm des Gegners. Der Tritt kam so schnell und für den in solchen Kampfmethoden ungeübten Gegner so überraschend, dass er ihn kaum kommen sah. Plötzlich war sein Arm betäubt und der Stein entfiel seiner kraftlosen Hand. Jazz richtete sich aus der gleichen Bewegung heraus auf und beendete den kreisförmigen Schwung. Dabei versetzte er dem anderen einen Handkantenschlag auf den Adamsapfel. Wieder erfolgreich.

Dann nahm er die Verteidigungshaltung ein und schaute erst einmal, was er angerichtet hatte. Ein Blick genügte, um sich entspannt aufzurichten, zurückzutreten und die Arme zu verschränken. Beide Gegner lagen am Boden. Der eine hielt sich den Bauch und stöhnte und schaukelte vor und zurück vor Schmerzen, der andere saugte halb erstickt mit aller Macht Luft in die gequälte Lunge und massierte seine Kehle. Sie würden sich schnell erholen, aber vergessen würden sie ihre Lektion so bald nicht.

Einen Augenblick lang herrschte Schweigen, dann klatschte Lardis spontan Beifall. Viele seiner Männer folgten seinem Beispiel, aber nicht Arleks ehemalige Anhänger. Sie saßen sehr ruhig da und blickten überall hin, nur nicht in Jazz' Richtung. Er bot ihnen großzügig an: »Möchte es noch jemand versuchen?« Keiner ging darauf ein.

»Ich überlasse dir ihre Bestrafung, Jazz!«, rief Lardis. »Was sollen wir mit ihnen machen?«

»Du hast sie schon genügend beschämt«, antwortete Jazz. »Arlek wurde gewarnt, doch er hat alle Warnungen missachtet. Dafür hat er bezahlt. Nun haben auch diese Männer ihre Warnung erhalten. Wenn es nach mir geht, lassen wir es dabei.«

»Gut!«, grollte Lardis zustimmend.

Sofort traten ein paar der Männer vor und halfen ihren beiden Kameraden auf die Beine. Einer von ihnen war ein Spiegelträger. Er legte vorsichtig seinen Spiegel zu Boden, und bückte sich dann, um dem Mann aufzuhelfen, der sich die Kehle hielt.

Jazz betrachtete den großen, ovalen Spiegel, der mit der spiegelnden Fläche nach unten lag, sah weg, sah noch einmal hin, dann klopfte er darauf. »*Was?*« Er schnappte nach Luft. »Was zum ...«

Zek war auf ihn zu geschritten. Nun sprang sie erschrocken an seine Seite. »Jazz, was ist los?«

»Lardis!«, rief er und ignorierte Zek für den Augenblick. »Lardis, woher hast du diese Spiegel?« Und plötzlich lagen in seiner Stimme statt der üblichen Gelassenheit Unruhe und Ungläubigkeit.

Lardis eilte herbei. Er grinste breit. »Meine neuesten Waffen!«, erklärte er stolz. »Ich habe den Herr des westlichen Gartens gesucht – und gefunden! Als ein Zeichen der Freundschaft hat er mir die Spiegel gegeben. Das war euer Glück ...«

Jazz nahm den schweren Spiegel in die Hand und betrachtete ungläubig die Rückseite. »Unser Glück, allerdings!«, brachte er schließlich heraus. »Vielleicht mehr als du ahnst!« Er leckte sich die Lippen und sah Zek Unterstützung heischend an. Er brauchte eine Bestätigung, dass ihm seine Augen keinen Streich spielten.

Sie sah auf das, was er in mit einem Mal zitternden Händen hielt, und ihre Kinnlade fiel herab. »*Mein Gott!*«, hauchte sie.

Denn der Spiegel hatte eine Rückwand aus einer Spanplatte, auf der einer der Traveller einen Lederriemen angebracht hatte, um ihn besser tragen zu können. Und diese Rückseite trug einen Aufkleber mit großen Buchstaben:

HERGESTELLT IN DER DDR
KURT GEMMLER UND SOHN
GUMMER STR. 12
BERLIN

SECHSTES KAPITEL

Noch am gleichen »Abend« zog Jazz Simmons im goldenen Schein der langsam – unendlich langsam – sinkenden Sonne zusammen mit Zek, Lardis und seinen Travellern nach Westen. Jazz war froh, sein Gepäck anderen überlassen zu können. Nur die MP und zwei geladene Magazine trug er bei sich. Und obwohl er hundemüde war, würde er so – seiner Last ledig – durchhalten, bis der Stamm endlich ein Lager aufschlug.

Mittlerweile hatte er auch ausreichend Gelegenheit gehabt, Zek im Abendsonnenschein noch etwas genauer zu mustern, und er war keineswegs enttäuscht worden. Irgendwie hatte sie es fertig gebracht, sich zwischendurch an einem rasch dahin plätschernden Bach zu waschen, was ihre frische, natürliche Schönheit noch unterstrich. Jetzt sah sie für ihn einfach zum Fressen gut aus. Appetit hätte er ja gehabt, aber was wäre das für eine Verschwendung gewesen ...

Zek hatte die wunden Füße mit weichen Lumpen umwickelt und lief zumeist auf Gras oder weicher Erde, wo das möglich war. Auch sie war sehr erschöpft, aber ihr Schritt schien nun beschwingter und einige Sorgenfalten waren aus ihrem Gesicht verschwunden. Während sie sich gewaschen hatte, bot sich Jazz die Gelegenheit, die Traveller ebenfalls genauer zu mustern.

Seine ursprünglichen Beobachtungen wurden bestätigt: Sie waren ›Zigeuner‹, Roma, und sie sprachen in einer alten romanischen Sprache. Es war nicht schwer, einen Zusammenhang mit der Welt, die er hinter sich gelassen hatte, zu erkennen. Vielleicht konnte Zek einige der Übereinstimmungen erklären. Er beschloss, sie demnächst danach zu fragen – eine weitere Frage auf seiner langen Liste. Er war selbst überrascht, wie schnell er begonnen hatte, sich auf sie zu verlassen. Und es ärgerte ihn, dass er ständig an sie denken musste, anstatt sich auf andere, dringende Fragen zu konzentrieren.

Viele Männer unter den Travellern trugen goldene Ringe im

linken Ohr, passend zu denen, die sie an die Finger gesteckt hatten. Dieses wertvolle Metall fand sich hier anscheinend in größeren Mengen. Es wurde zum Schmücken der Gestängen ihrer Trageschlitten benutzt; ihre Lederjacken und die Hosen aus grobem Stoff trugen Nieten aus Gold, und sogar die Ledersohlen ihrer Sandalen wiesen Goldnägel auf. Silber gab es dafür nicht viel. Nur als Spitzen an den Pfeilen und Armbrustbolzen hatte er bisher Silber gesehen. Als Schmuck jedoch schien es nicht benützt zu werden. Es dämmerte ihm bereits, dass es auf dieser Welt wertvoller als Gold sein mochte. Nicht zuletzt seiner Wirkung auf Vampire wegen!

Trotzdem waren die Traveller ein Rätsel für Jazz. Er entdeckte eigenartige Anomalien an ihnen, die er nicht verstand. Zum einen erschien ihm diese Welt in vieler Hinsicht sehr archaisch, doch die Traveller selbst waren alles andere als primitive Wilde. Er hatte hier zwar noch keinen Zigeunerwagen gesehen, aber er wusste, dass sie benutzt wurden; ein kleiner Junge, der auf einem dieser Trageschlitten gesessen hatte, hatte mit einem Holzmodell eines solchen Wagens gespielt. Davor gespannt waren Holztiere, die wie übergroße, zottige Schafe ausgesehen hatten. Sie waren mit Ledergeschirren angespannt gewesen. Also hatten diese Menschen das Rad erfunden und besaßen domestizierte Lasttiere, wenn auch im Moment keines zugegen war. Sie bearbeiteten Metall, und da sie Armbrüste gebrauchten, konnte man ihre Bewaffnung auch nicht gerade als primitiv ansehen. Ihre Kultur war durchaus hoch entwickelt. Andererseits: Wie hatten sie in dieser rauen Umgebung und unter solchen Gefahren überhaupt eine Kultur aufbauen können?

Was den Stamm betraf, den Jazz zu sehen erwartet hatte: Mehr als sechzig auf einmal hatte er noch nicht entdecken können – Arleks ehemalige Anhänger, die nun wieder in den Stamm integriert worden waren, Lardis' Begleiter, und dazu eine Hand voll von Familien, die in einem dichten Gestrüpp verborgen auf Lardis gewartet hatten, um mit ihm aus dem Pass und in die westlichen Vorberge zu ziehen. Und alle diese Menschen gingen zu Fuß, mit Ausnahme einer alten Frau, die auf einem der Trageschlitten auf mehreren Fellen lag, und zwei oder drei Kindern, die auf die gleiche Art mitgenommen wurden.

Jazz hatte ihre Gesichter beobachtet und bemerkt, dass sie immer wieder die Köpfe drehten und misstrauisch zur Sonne hinüber spähten, die über dem südlichen Horizont thronte. Zek hatte Jazz gesagt, dass es bis zur vollständigen Nacht noch fünfundvierzig Stunden dauern werde, und dennoch lastete eine unausgesprochene Angst und Nervosität auf den Mienen der Reisenden, und Jazz glaubte zu wissen warum. Sie marschierten nach Westen, von dem festen Willen getrieben, sich bis zum Sonnuntergang so weit wie möglich vom Pass und damit von den Wamphyri zu entfernen. Und Jazz war zwar ein Neuankömmling, aber er ließ sich dennoch von ihrer Nervosität anstecken.

Er unterdrückte dieses Gefühl und fragte Zek: »Wo sind eigentlich alle? Ich meine, du kannst mir nicht erzählen, dass die paar Leute hier der gesamte Stamm sind!«

»Nein«, antwortete sie und schüttelte den Kopf, dass die feuchten Haare nur so flogen, »das ist nur ein Bruchteil. Die Traveller-Stämme ziehen nicht alle in großen Gruppen umher. Lardis bezeichnet das als Überlebenssicherung. Ein Stück vor uns befinden sich zwei größere Lager. Das eine liegt etwa sechzig Kilometer von hier, das andere vielleicht noch einmal vierzig Kilometer dahinter an der ersten Zuflucht. Diese »Zuflucht« besteht aus einem Höhlensystem in einem ausgedehnten Felsmassiv. Der gesamte Stamm findet darin Platz. Sehr schwer für die Wamphyri, sie dort herauszuholen. Dorthin ziehen wir nun. Die lange Nacht über werden wir uns in der Zuflucht verbergen.«

»Hundert Kilometer?«, fragte er sie ungläubig. »Vor Anbruch der Dunkelheit?« Er blickte wieder zur Sonne hinüber, die so tief am Himmel hing. »Du scherzt!«

»Es dauert noch eine ganze Weile bis Sonnunter«, tröstete sie ihn. »Du magst die Sonne anstarren, bis du blind wirst, aber du wirst nicht bemerken, wie sie sinkt. Es ist ein wirklich langsamer Prozess.«

»Gott sei Dank«, bemerkte er erleichtert.

»Lardis hat vor, zwischen zwei Rastperioden immer etwa fünfundzwanzig Kilometer zurückzulegen«, fuhr sie fort, »aber er ist auch müde, vielleicht noch mehr als wir. Also werden wir bald die erste Pause einlegen, denn er weiß, dass wir alle etwas Schlaf benötigen. Die Wölfe halten Wache. Die Pause wird drei Stunden dauern – nicht mehr. Sechs Stunden Marsch, und dann drei Stunden Rast. Neun Stunden für fünfundzwanzig Kilometer. Das klingt einfach, ist aber brutal hart. Sie sind daran gewöhnt, aber dich wird das fertig machen. Jedenfalls bis du dich darauf eingestellt hast.«

Noch während sie sprach, ließ Lardis alle zur Rast anhalten. Er befand sich ganz vorn, aber seine Stimme war überall gut hörbar: »Esst, trinkt«, riet er, »und dann schlaft!«

Die Traveller kamen müde zum Halt. Zek rollte ihren Schlafsack aus und sagte zu Jazz: »Hol dir Felle von einem der Trageschlitten. Sie haben genug dabei. Bald wird jemand mit Brot, Wasser und ein bisschen Fleisch kommen.« Dann drückte sie einen dichten Farnstrauch flach auf den Boden, legte ihren Schlafsack darauf und kletterte hinein. Sie zog den Reißverschluss zur Hälfte zu. Jazz zündete eine Zigarette für sie an und machte sich auf die Suche nach einer Decke.

Als er sich neben ihr niederließ, war bereits etwas zu essen für sie gebracht worden. Beim Essen gab er zu: »Ich bin aufgeregt wie ein Kind. Ich kann bestimmt nicht schlafen. Mein Hirn arbeitet pausenlos. Es gibt so viel zu verarbeiten!«

»Du wirst schlafen«, beruhigte sie ihn.

»Vielleicht solltest du mir eine Geschichte erzählen«, sagte er und legte sich bequem zurück. »Deine Geschichte?«

»Meine Lebensgeschichte?«, fragte sie mit einem Anflug von Lächeln zurück.

»Nein, nur was du seit deiner Ankunft hier erlebt hast. Nicht sehr romantisch, ich weiß, aber je mehr ich über diese Welt erfahre, desto besser. Wie Lardis sagen würde, geht es dabei ums Überleben. Jetzt, da wir mehr über diesen Herr des westlichen Gartens wissen, der ja offensichtlich eine Freifahrkarte nach Berlin hat, erscheint mir das Überleben noch wünschenswerter. Oder, um es besser auszudrücken, eher erreichbar.«

»Du hast Recht«, stellte sie fest und legte sich ein wenig bequemer hin. »Es gab Zeiten, da habe ich beinahe die Hoffnung verloren, aber jetzt bin ich froh, nicht aufgegeben zu haben. Du möchtest meine Geschichte hören? In Ordnung, Jazz, also hör gut zu ...«

Sie begann leise und ruhig zu erzählen, doch nach einer Weile verfiel sie in den dramatischen, farbenfrohen Stil der Traveller, den ja auch die Wamphyri beherrschten. Bei einer Telepathin wie ihr hatten sich ihre Gewohnheiten und Ausdrucksformen noch stärker eingeprägt als üblich, bis sie ihr zur zweiten Natur geworden waren. Jazz lauschte und entnahm ihren Worten, was sie erlitten hatte, seit sie diese Welt betrat.

SIEBTES KAPITEL

»Ich kam genauso ausgerüstet wie du durch das Tor«, begann Zek ihre Erzählung, »aber ich war keineswegs so groß und stark wie du. Ich konnte nicht so viel schleppen. Und ich war hundemüde ...

Bei meiner Ankunft herrschte Nacht auf der Sternseite, und demzufolge hatte ich überhaupt keine Chance. Natürlich hatte ich von alledem keine Ahnung, zu der Zeit nicht, sonst hätte ich mir wahrscheinlich ganz einfach eine Kugel durch den Kopf gejagt.

Ich schritt durch das Tor, kletterte vom Kraterrand herunter und sah, was auf mich wartete. Und ich musste mich dem stellen, denn es gab keinen Weg zurück. Oh ja, du kannst mir glauben, dass ich mich zuerst gegen die Wand der Sphäre warf und verzweifelt zu entkommen suchte, aber sie stand fest und unzugänglich, so undurchdringlich wie ein Felsendom aus strahlend weißem, durchscheinendem Material.

Ihr Anblick dort draußen, wie sie da standen und auf mich warteten, hatte mich erschreckt, aber meine Ankunft war auch nicht ohne Wirkung geblieben. Sie wussten nicht, was sie von mir halten sollten. Sie hatten ja überhaupt nicht auf mich gewartet, sondern ganz anderes vorgehabt, aber all das sollte ich erst später herausfinden. Das Ganze wirkt heute wie ein verschwommener Albtraum auf mich, der langsam zu verblassen beginnt. Es ist schwer zu beschreiben, was ich damals empfand. Doch ich werde es versuchen.

Du hast die fliegenden Reittiere der Wamphyri gesehen, aber nicht ihre Kampfkreaturen, oder falls doch, dann nicht aus der Nähe. Ich spreche nicht über Leute wie die Krieger, die Shaithis mitgebracht hat, Gustan und die anderen! Das waren einmal Traveller, die Shaithis zu Vampiren gemacht und denen er Rang und Ehre gegeben hat. Soweit ich weiß, haben sie keine Wamphyri-Eier erhalten, und sie streben lediglich danach, ihrem Lord dienen zu dürfen. Natürlich sind das Vampire, wie alle von der Wamphyri verwandelten Wesen, aber sie sind auch noch auf gewisse Weise Menschen ...« Sie unterbrach ihre Erzählung und seufzte.

»Jazz, das ist ziemlich schwierig zu erklären. Vampire sind ... ihre Lebenszyklen sind unwahrscheinlich komplex. Am besten erkläre ich dir zuerst einmal, was ich über ihre Entwicklung weiß, bevor ich fortfahre. Und über ihre biologischen Systeme.

Vampire – also die grundlegenden Kreaturen – kommen in den Sümpfen und Mooren östlich und westlich der Berge zur Welt. Was ihre Herkunft betrifft, bin ich auf Vermutungen angewiesen. Vielleicht liegen dort im Schlamm verborgen irgendwelche Muttertiere oder was auch immer, die nie an die Oberfläche kommen. Das wären dann ganz primitive Eier legende Tiere. Ich habe die Traveller ausgefragt und sogar Lady Karen, die ja selbst zu den Wamphyri gehört, aber niemand weiß etwas über diese grundlegenden Vampirwesen. Eines kann ich dir aber mit Garantie sagen: Sie wagen sich bestimmt nicht an die Oberfläche der Sümpfe, solange die Sonne am Himmel steht.

Was ihre Fortpflanzung betrifft, ist die erste Aufgabe, die jeder zu erfüllen hat, die Suche nach einem Wirt, die sie mit dem gleichen Instinkt betreiben wie eine Ente, die sich ins Wasser begibt. Es liegt nicht in ihrer Natur, allein und ohne Wirtskörper zu leben. Das geht so weit, dass sie relativ schnell absterben, wenn sie keinen Wirt finden. Man könnte sie mit dem Kuckuck vergleichen ... nein, der Vergleich hinkt. Wie Bandwürmer vielleicht, oder – noch besser, wie Leberegel! Ja, sie sind Parasiten, aber da endet auch schon jede Ähnlichkeit ...

Auf jeden Fall: Wie ich schon sagte, ist ihr Lebenszyklus ziemlich komplex. Aber das ist an sich ja nichts Außergewöhnliches. Der Leberegel ist da wirklich ein gutes Beispiel. Er lebt in den Innereien von Rindern, Schweinen oder Schafen, legt seine Eier in deren Kot, wo sie von anderen Tieren – und auch von Menschen! – durch kleine Wunden oder auf andere Art aufgenommen werden. Und sobald sie einmal die Leber eines Tieres erreicht haben, ist das Schicksal der betreffenden Kreatur besiegelt. Das Organ wird zu Gorgonzola verarbeitet. Und wenn dieses Tier dann auf freiem Feld stirbt ... oder geschlachtet und von unwissenden Menschen gegessen wird ... na ja, du siehst, wie der Zyklus weitergeht. Bei den Vampiren ist es ungefähr das Gleiche. Doch darüber hinaus gibt es keine Übereinstimmungen.

Und der große Unterschied liegt in Folgendem: Plattwurm und Leberegel zerstören ganz langsam die Organe ihres Wirtskörpers und töten damit den Wirt. Doch dabei töten sie sich auch selbst, denn ohne einen Wirt können sie nicht überleben. Da zwingt der Instinkt dem Vampir eine ganz andere Verhaltensweise auf. Er tötet seinen Wirt nicht, sondern wächst mit ihm, stärkt ihn und verändert seine Natur. Er lernt von dem Wirt, beseitigt seine physischen Schwächen und gibt ihm Kraft. Er dringt unmerklich auch in Geist und Seele seines Wirts ein und beeinflusst diesen. Er besitzt kein Geschlecht, nimmt aber das Geschlecht des Wirtskörpers mit seiner Sexualität und seinen Neigungen an. Die Menschen sind an sich schon leidenschaftlich und Trieb gesteuert, Jazz, aber ein Vampir im Inneren steigert das noch in höchstem Maße! Die Menschen sind kriegerische Geschöpfe, aber als Wamphyri baden sie im Blut ihrer Gegner. Die Menschen sind hinterhältig, aber die Wamphyri sind das Hinterhältigste, was eine Welt wie diese hervorbringen konnte!

Doch all dies ist nur ein Teil des Zyklus', eine einzige Facette ... Du weißt bereits, dass ein Mensch, der einen Vampir in sich trägt, geistig verdorben und böse wird. Dann gibt es aber noch eine rein physische Seite. Das Fleisch des Vampirs ist anders als unseres. Es ist eine Art von Protoplasma und kompatibel mit dem Fleisch aller anderen lebenden Geschöpfe, ob Mensch oder Tier. Und wenn der Vampir in seinem Wirt heranwächst, ist er fähig, dessen Körper nach Belieben zu verändern, physisch zu verwandeln! Und die Wamphyri sind wahre Meister der Metamorphose. Das hat auch eine einfache Erklärung.

Stell dir vor, ein gerade eben aufgetauchter junger Sumpfvampir hat das Glück, sich an einen Wolf als Wirt hängen und in seinen Körper schlüpfen zu können. Damit gewinnt er die Schlauheit des Wolfs, seine Wildheit, seine Raubtier-Instinkte. Und er verstärkt sie. Es gibt Legenden über solche Wölfe hier auf der Sonnenseite. Es ist beinahe das Gleiche wie zu Hause auf der Erde, wo man von Werwölfen berichtet hat. Die silberne Kugel, Jazz, und der Vollmond!

Um Menschen anzulocken – um sie zu fressen –, wird der von einem Vampir besessene Wolf diese imitieren. Er wird sich auf die Hinterbeine aufrichten, seine Züge so verändern, dass sie dem Gesicht eines Menschen ähneln, und bei Nacht seinen Opfern auflauern. Und wen er beißt ...

Der Biss des Vampirs ist virulent wie noch etwas! Er bedeutet in jedem Fall eine Ansteckung, noch schlimmer als bei der Tollwut. Nur dass die Tollwut einen Menschen tötet, der Vampirbiss jedoch nicht. Er kann den Menschen damit töten, klar, aber häufig lässt er ihn am Leben. Und falls er beim Beißen etwas von sich selbst in den Körper des Opfers dringen lässt, ein wenig des eigenen protoplasmischen Fleisches, wird das Opfer *vampirisiert.*

Aber nehmen wir einmal an, der Angriff sei tödlich, der Vampir trinkt das Blut seines Opfers ganz und gar, was öfters vorkommt, und lässt nur die Leiche zurück. Doch selbst in diesem Fall ist das Wenige, was der Vampir im Opfer zurückgelassen hat, was er im Austausch gegen das Blut hinterlässt, keineswegs tot! Innerhalb von etwa siebzig Stunden, manchmal auch weniger, ist die Umwandlung komplett, die Metamorphose vollendet. Und wie es in den Mythen unserer Erde berichtet wird, taucht nach drei Tagen der neue Vampir auf – untot – und verbreitet seine Krankheit weiter!

Doch ich bin vom Thema abgekommen. Ich wollte dir ja eigentlich erklären, was ein Wamphyrikrieger ist. Stelle dir eines ihrer Flugtiere vor, und dann vergrößere es im Geist um das Zehnfache. Statte diese Riesengestalt mit einem Dutzend gepanzerter Hälse und Köpfe aus, alle mit Mäulern voll von unglaublich großen und spitzen Zähnen – wie Reihen von Sicheln! Dieses Ding hat eine ganze Anzahl von Armen oder Tentakeln, die alle am Ende mörderische Klauen oder Scheren aufweisen, als trügen sie ungeheuer große Anfertigungen von Wamphyri-Kampfhandschuhen. Wenn du dir das alles vorstellst, hast du ein Bild eines Wamphyrikriegers vor Augen. Das sind Vampire, doch ohne jeden Verstand und absolut loyal einer einziger Person gegenüber – dem Lord, der diese Kreatur erschaffen hat.

Ja, ich sehe die Frage in deinen Augen, Jazz. Du willst wissen, *woraus* ein Lord eine solche Kreatur erschaffen kann. Habe ich dir nicht gesagt, dass die Wamphyri Meister der Metamorphose sind? Ihre Geschöpfe – alle! – die in ihrer Gesellschaft den Platz von Maschinen einnehmen, waren einst *Menschen!*

Frage mich nicht, wie sie das anstellen. Manchmal glaube ich, es ist besser, die Antworten auf solche Fragen nicht zu kennen – ich weiß nicht, ob ich sie ertragen könnte. Was ich weiß, werde ich, soweit es die Zeit gestattet, an dich weitergeben. Doch du hast mich gefragt, was ich erlebt habe, als ich hier ankam. Das erste, was ich sah, waren zwei dieser Wamphyrikrieger! Die habe ich als erstes gesehen, vor allen anderen Dingen, wie zwei Kakerlaken zwischen vielen Ameisen. Ameisen sind erträglich, Kakerlaken dagegen nicht. Und: Kakerlaken sind um vieles größer und hässlicher!

Gleich zwei von ihnen auf dieser steinübersäten Ebene unter dem herrlichen Sternenzelt! Ich konnte nicht glauben, wie groß sie waren. Dass sie zum Kampf geschaffen waren, musste man mir nicht erklären. Sieh dir das Bild eines Tyrannosaurus Rex in einem Buch über prähistorische Tiere an, und man muss dir nicht mehr erklären, dass er ein Raubtier war. So wirkten auch diese Wesen auf mich: mit ihren Waffenhänden, ihren Panzerplatten, in all ihrer Hässlichkeit konnten sie nichts anderes sein. Erst als ich bemerkte, dass sie ganz ruhig blieben und offensichtlich unter Kontrolle standen, wagte ich es, meinen Blick von ihnen zu wenden. Dann erst, nachdem ich die »Kakerlaken«

betrachtet hatte, wandte ich mich den »Ameisen« zu. So wirkten die Wamphyri im Vergleich mit ihren Kriegern und den Flugbiestern tatsächlich zuerst auf mich. Aber sie waren die Herren, und die Giganten waren ihre gehorsamen Sklaven.

Stell es dir so vor: Auf der felsigen Ebene stehen diese beiden Berge aus gepanzertem Fleisch. Etwas näher hocken sechs der Flugtiere, die allesamt ihre Hälse verrenken und deren Köpfe hin und her schwanken. Und noch etwas näher an der leuchtenden Wand der Sphäre stehen die Wamphyri selbst, die gekommen sind, um einen der Ihren zu bestrafen, der Lady Karens Vorschriften übertreten hat. Ich blickte sie an, starrte ungläubig in einer Mischung aus Furcht und morbider Faszination zu ihnen hinüber, und sie sahen mich an. Sie waren an diesem Ort, um jemanden *in* das Tor hinein zu stoßen und hatten alles andere erwartet, als jemanden *herauskommen* zu sehen!

Da war Karen selbst mit vier Untergebenen und jemand anders, der hässlich war wie die Nacht und mit Goldketten gefesselt. Nun ist Gold, wie du weißt, ein weiches Metall, das sich leicht brechen lässt. Aber nicht, wenn die Kettenglieder aus fingerdickem Gold bestehen! In diesen Ketten war mehr Gold verarbeitet, als ich je in meinem Leben irgendwo gesehen hatte, und doch trug dieser Corlis, der mit ihnen gefesselt war, daran so leicht, als bestünden sie aus Blech. Corlis hieß er; ein riesiger, grober Kerl, ganz nackt bis auf die Goldketten. Kein Kampfhandschuh steckte an seiner Hand, denn er war der Schmach aller anderen ausgesetzt. Doch obwohl er nackt und unbewaffnet dastand, brannten seine roten Augen zornig und absolut ohne Reue.

Auch die vier, die ihn umstanden, waren große Männer, doch er überragte sie um mindestens einen Kopf. Die Vier trugen lederne Scheiden auf dem Rücken und lange, schmale Schwerter in Händen. Wie ich später erfuhr, ist das Schwert eine verachtete Waffe; nur ihre Kampfhandschuhe werden als ehrenvoll betrachtet, wenn es um den Kampf Mann gegen Mann geht. Und *diese* Schwerter hatten Schneiden aus Silber! Alle vier waren auf Corlis gerichtet, der außer Atem, aber mit hoch erhobenem Kopf und wildem Zorn im Blick zwischen ihnen stand.

Hinter ihrem Gefangenen und vor ihm durch die Vier beschützt, die ihn bewachten, stand Lady Karen wie erstarrt. Sie hatte mich erspäht, und ihr roter Mund blieb eine Weile offen stehen. Jetzt werde ich dir etwas gestehen, Jazz, was keine Frau je zugeben sollte, was ich bis dahin nicht einmal mir selbst eingestanden hatte. Frauen sind neidische Geschöpfe. Und die gut aussehenden noch mehr als alle anderen! Ich weiß, dass es sich so verhält. Aber wie wahr es ist, wurde mir erst klar, als ich Karen sah.

Ihr Haar schimmerte, ja flammte, kupferfarben, und die Reflektion des weißen Lichts von der Kuppel lag wie ein Heiligenschein um ihren Kopf, spann Gold um ihre Schultern und glänzte auf den Metallreifen um ihre Arme. Goldringe an einer schmalen Goldkette um ihren Hals hielten ihr Kleid aus weichem, weißem Leder, das sich wie ein Handschuh um ihren Körper schmiegte, und an den Füßen trug sie Sandalen aus dem gleichen goldbestickten weißen Leder. Über die Schultern hatte sie einen langen Umhang aus schwarzem Pelz gehängt, aus den Schwingen schwarzer Fledermäuse genäht und mit feiner Goldstickerei verziert, und um die Taille hatte sie einen breiten schwarzen Ledergürtel geschnallt, dessen goldene Schnalle ihr Wappen – einen Wolfskopf – zeigte. An der Hüfte hing ihr Kampfhandschuh.

Sie wäre eine unglaublich schöne Frau, wären da nicht ihre roten Augen. Ich wusste damals nicht, wer oder was diese Leute waren, aber sie war eine von ihnen und ganz offensichtlich die Herrin dieser Gruppe. Es sollte nicht lange dauern, bis ich erfahren hatte, dass sie sich Wamphyri nannten.

Sie schritt um die Gruppe herum auf mich zu. Ich kauerte am Kraterrand, die schimmernde Sphäre im Rücken. Aus der Nähe wirkte sie noch schöner. Ihr biegsamer Körper bewegte sich mit der Grazie einer tanzenden Zigeunerin, und dennoch erschien sie so unschuldig! Ihr herzförmiges Gesicht mit einer gedrehten, leuchtend roten Locke auf der Stirn hätte engelsgleich gewirkt, doch die roten Augen machten daraus das Antlitz eines Dämons. Ihre Lippen waren voll und sanft geschwungen, und ihre blutrote Farbe betonte den Kontrast zu ihren weißen Wangen. Nur die Nase minderte diese überirdische Schönheit ein wenig; sie wirkte ein bisschen schief, kurz und die Nasenlöcher etwas zu groß. Auch die Ohren waren nicht perfekt, doch sie wurden von den flammenden Locken fast verborgen. Außerdem trug sie große, goldene Ohrringe. Alles in allem erweckte sie ein wenig den Eindruck eines wunderschönen Zigeunermädchens bei mir. Ich hörte beinahe das Läuten von Glöckchen bei jeder ihrer Bewegungen, obgleich sie völlig lautlos einher schritt.

»Höllenländerin«, begann sie in einer Sprache, die ich nicht verstanden hätte, wäre da nicht meine telepathische Fähigkeit gewesen. Fremdsprachen stellen kein Problem dar, wenn man Telepath ist! Und was ihre Worte nicht sagten, konnte ich ihrem Geist entnehmen. Doch sie bemerkte das augenblicklich, deutete mit einer blassen Hand mit blutrot lackierten Fingernägeln auf mich und sagte anschuldigend: »Gedankendiebin!«

Dann zog sie diese blutfarbenen Augen zu schmalen Schlitzen zusammen, und als sie weiter sprach, klang es sehr nachdenklich: »Eine Frau aus dem Höllenland. Ich habe von Männern gehört, die dorther kamen, von Magiern, aber noch nie von einer Frau. Vielleicht ist das ein Omen. Ich hätte viel Nutzen von einer Gedankendiebin.« Sie nickte in sich hinein und kam dann zu einem Entschluss. »Gib dich ganz in meine Hände – mit all deinen Geheimnissen, und ich werde dich beschützen«, sagte sie. »Verweigere dich mir ... dann geh deiner eigenen Wege, *ohne* meinen Schutz.« Ich konnte das gierige Leuchten in den Augen ihrer Gefolgsleute hinter ihr deutlich erkennen. So musste ich sehr schnell nachdenken ... Ging ich nicht mit ihr, wohin konnte ich mich dann wenden? Gab es irgendeinen Ort, an dem ich sicher war? Und – ging ich jetzt nicht mit ihr, wohin würde man mich bringen?

»Ich heiße Zekintha«, sagte ich. »Und ich akzeptiere deinen Schutz.«

»Dann sollst du mich als Lady Karen ansprechen«, erklärte sie und schüttelte dabei stolz ihren flammenden Haarschopf. »Nun geh ein wenig zur Seite, denn wir haben hier etwas zu erledigen.« Und zu ihren Untergebenen sagte sie in herrischem Tonfall: »Bringt den Hund Corlis her!«

Karens Männer schoben ihren Gefangenen nach vorn. Selbst in Ketten wirkte er, als könne er mit ihnen fertig werden, doch die Waffen mit den Silberschneiden ließen ihn gehorchen. Sie nahmen ihm die Ketten ab, und als die Letzte von ihm abfiel ...

Das war der Moment, auf den er gewartet hatte!

Er schlang blitzartig die letzte Kette um seine mächtige Faust, wirbelte herum, schlug um sich, und seine Bewacher sprangen zurück. Bevor sie richtig reagieren konnten, schleuderte er die schwere Kette auf sie. Und im nächsten Augenblick lachte er laut und machte einen Satz auf Lady Karen zu, um sie zu packen. »Wenn ich schon zum Opfer dieses Portals werden soll, Karen, dann kommst du mit mir!«, rief er.

Corlis hatte beschlossen, es mit Lady Karen genauso zu machen, wie du mit Karl Vyotsky, Jazz! Er presste sie an sich und rannte zur Kraterwand. Wohl waren die anderen Männer wie Jagdhunde hinter ihm her, doch er hatte einen kleinen Vorsprung. Wie es schien, wollte er die einzige Hoffnung, die ich auf dieser Welt hatte – Karen – von mir nehmen. Aber da hatte Corlis nicht mit mir gerechnet. Als er sowohl seinen Häschern, wie auch den Löchern in der Magmasse auswich, kam er ganz nahe an dem Fleck vorbei, wo ich immer noch kauerte. Karen trat nach ihm und versuchte, ihn zu beißen, doch das machte ihm nichts aus. Sie war wohl eine Wamphyri, aber dennoch auch eine Frau. Corlis sah nun gerade vor sich die natürlichen Steinstufen am Kraterrand und das Tor, das sich nur drei oder vier Schritt oberhalb befand. Doch als er an mir vorüber rannte, tat ich etwas sehr Einfaches: Ich stellte ihm ein Bein!

Er stürzte und ließ Karen los, die beinahe in eines der Wurmlöcher in der Magmasse gefallen wäre. Corlis richtete sich auf ein Knie auf und funkelte mich wütend an. Ich befand mich fast in seiner Reichweite. Er fasste nach mir, und ich wich zurück. Meine Güte, Jazz, diese Arme schienen endlos, streckten sich wie Gummi, und ich hörte, wie Sehnen und Muskeln rissen! Sein Mund – mein Gott, diese Fratze! – öffnete sich wie eine Stahlfalle. Reihen nadelspitzer Zähne wuchsen sichtbar und krümmten sich mir entgegen! Ich weiß nicht, was noch aus ihm geworden wäre – vermutlich etwas total Unbesiegbares – aber ich hatte nicht vor, mich diesem ... diesem Monster zu ergeben! Ganz gewiss nicht!

Ich hatte die ganze Zeit über meine MP am Riemen über der Schulter getragen. Aber ich bin kein Soldat, Jazz, und ich hatte noch nie jemanden getötet. Bei ihm hatte ich jedoch keine andere Wahl. Frage mich nicht, woher ich in meiner Verzweiflung die Kraft nahm, aber ich entsicherte die Waffe, legte an und schoss.

Wie du weißt, können Kugeln die Wamphyri nicht umbringen, aber sie richten sie übel zu! Was ich auf Corlis abschoss, war wie eine Wand aus Blei. Sein Rumpf färbte sich rot, sein Brustkorb und diese entsetzliche Fratze wurden durchlöchert; er wurde von mir weg geschleudert und platschte wie ein nasser Lappen zu Boden. Und während die Waffe irrsinnig knatterte, schien alles um uns herum wie zu Eis erstarrt. In der Stille der Sternseite muss sich das Feuer aus meiner Waffe wie das Gelächter der Hölle angehört haben! Und erst, als das Magazin leer geschossen war, kehrte wieder Ruhe ein. Nur ein Echo der Schüsse wurde noch ein paar Mal von den Berghängen zurückgeworfen.

Die Wirkung war betäubend, doch dann kehrte schnell Leben in die Zuschauer zurück. Karen kam taumelnd auf die Beine und bedeutete ihren Männern, sich um Corlis zu kümmern. Und der setzte sich auf! Ich konnte es kaum glauben. Die Löcher in seinem Körper und seinem blutüberströmten Gesicht begannen sich bereits zu schließen. Er sah, wie die anderen mit ihren Silberwaffen auf ihn zu stürmten, und blickte sich wild um. Dort! Ein Wurmloch in der Magmasse! Er taumelte hoch, duckte sich und sprang auf die dunkle Öffnung zu. Im Sprung noch erwischte ihn einer von Karens Männern, ein Schwert blitzte silbern auf und Corlis' Kopf rollte weg! Sein Körper taumelte weiter; Blut strömte aus dem offenen Halsstumpf. Dann fiel er in das Wurmloch und rutschte außer Sicht. Der Kopf lag mit knirschenden Zähnen, wilde Grimassen schneidend, am gleichen Fleck, wohin er gefallen war.

Karen schrie angeekelt auf, schritt hin und trat das sich übergebende ... Ding in ein anderes Wurmloch. Was Corlis auch getan haben mochte, es musste wohl sehr schlimm gewesen sein. Blutschmierer waren alles, was von ihm blieb.

Dann sah Karen mich an und die rauchende Waffe in meinen Händen. Ihre roten Augen waren weit aufgerissen, was ihr Gesicht noch blasser erscheinen ließ. Unwillkürlich musterte sie auch mein gesamtes Gepäck: den Tornister, den Stutzen meines Flammenwerfers, den ich an meinen Gürtel gehängt hatte, das Abzeichen auf der linken Brusttasche meines Kampfanzugs. Das fiel ihr nun irgendwie besonders auf, und sie trat näher und betrachtete das Wappen. Das zeigte natürlich Hammer und Sichel, vom Bajonett einer Infanterieeinheit gekreuzt. Irgendein klein gewachsener Soldat hatte mir seinen Anzug überlassen müssen.

Aber für die Lady hatte das Abzeichen eine ganz andere Bedeutung. Sie deutete darauf, richtete sich empört auf und fauchte mich an. Sie sprach so schnell, dass ich zunächst kein Wort verstand. So entnahm ich sie ihren Gedanken.

»Ist das dein Banner? Das gekrümmte Messer, der Hammer und der Pflock? *Willst du mich verhöhnen?*«

»Ich verhöhne niemanden«, antwortete ich. »Dieses Abzeichen zeigt lediglich ...«

»Schweig!«, fuhr sie mich erneut an. »Und nimm dich in Acht! Wenn deine Waffe auch nur nach mir schnappen sollte, werde ich dich an meine Krieger als Leckerbissen verfüttern!«

Meine MP war leer geschossen und ich wagte nicht, nachzuladen. Doch in diesem lichten Moment hielt ich Karen die Waffe hin. Sie schrak ein wenig zurück davor. Dann runzelte sie die

Stirn, drückte den Lauf zur Seite, griff zu und packte mit ihren roten Fingernägeln das aufgenähte Abzeichen. Sie riss es mit einem Ruck ab und schleuderte es weg. »Da!«, rief sie dabei, »sagst du dich von diesem Zeichen los?«

»Ja, ich sage mich davon los!«, bestätigte ich.

Sie nickte und beruhigte sich sichtlich. »Also gut«, fuhr sie fort, »aber sei froh, dass ich in deiner Schuld stehe. Du kannst mir später berichten, warum du diese ... diese Beleidigung an deiner Kleidung trugst.« Sie wandte sich von mir ab und gab ihren Leuten einen Wink, die daraufhin zu ihren fliegenden Reittieren liefen und aufsaßen.

Karen wollte hinterher gehen, doch ich machte keine Anstalten, weil ich nicht wusste, was ich tun sollte. Sie bemerkte meine Unentschlossenheit und sagte: »Komm, sie warten auf uns.«

Sie brachte mich zu einer dieser ewig nickenden Kreaturen. Es musste Corlis' Reittier gewesen sein, wurde mir klar, als ich hinter dem langen Hals einen Metallkäfig bemerkte, der dort festgeschnallt war. »Steig auf und setz dich hinein«, sagte Karen, doch ich konnte nicht, trat einen Schritt zurück und schüttelte heftig den Kopf. Meine Furcht schien ihr jedoch mehr Selbstsicherheit zu verleihen. Nicht, dass ich das bei ihr für notwendig gehalten hätte.

Sie lachte. »Dann steig bei mir mit auf!«

Wir gingen zum nächsten Flugtier, auf dem noch niemand saß. Unter seinem Sattel lag eine teppichgroße rote Decke, das Zaumzeug war aus schwarzem Leder mit goldenen Nieten gefertigt, und der Sattel war enorm groß, weich und bequem. Das Biest senkte den Kopf, Karen ergriff das Sattelhorn und zog sich mit elegantem Schwung hinauf. Ich konnte mich kaum überwinden, die Haut der Kreatur zu berühren. Sie fasste herunter, packte meine leicht zittrige und verschwitzte Hand mit der ihren – kühl, kraftvoll – und zog mich hinter sich in den Sattel.

»Wenn dir schwindlig wird, halte dich an mir fest«, riet sie mir. Und dann flogen wir zu ihrer Felsfestung. Ich kann dir vom Flug nicht viel erzählen, da ich die meiste Zeit die Augen geschlossen hielt. Und ich klammerte mich wirklich ziemlich krampfhaft an ihr fest.

Es war fürchterlich in dieser luftigen Festung. Es ... Jazz?« Zek beugte sich herüber und sah ihn an. Im Mund hielt er noch den Korkfilter der Zigarette. Während sie sanft lächelte, blies ein Windstoß die kalte Asche auf seine Brust, die sich gleichmäßig hob und senkte. Und er hatte behauptet, er könne bestimmt nicht einschlafen! Aber es war gut so, er brauchte erholsamen Schlaf. Sie benötigte ihn ebenfalls.

Natürlich fragte sie sich, wie viel er von ihrer Erzählung noch mitbekommen habe.

Doch er hatte das meiste noch gehört. Und seine Meinung von ihr hatte sich keineswegs geändert: Sie war eine tolle Frau!

Die nächsten fünfundzwanzig Kilometer streckten sich endlos, und Jazz begann zu verstehen, warum Zek den Marsch als »brutal hart« bezeichnet hatte. Es würde noch um einiges schlimmer werden. Nach allem, was er durchgemacht, seit er Perchorsk durch das Tor verlassen hatte, waren ihm bloße drei Stunden Schlaf als nichts Besonderes vorgekommen. Er war nicht auf derartige Anstrengungen vorbereitet gewesen. Der Pfad war schwierig, wie er sich in das Vorgebirge hinauf wand, denn Schutt und Felsbrocken machten ihn zum reinsten Hindernisparcours. Dann hatte es zu regnen begonnen – ein wahrer Wolkenbruch, der erst nachgelassen hatte, als Lardis sie zum zweiten Mal rasten ließ. An diesem Ort gab es kleine aber trockene und geschützte Höhlen unter Felsüberhängen, in die sich fast alle der Traveller zurückziehen konnten. Jazz und Zek spähten aus ihrer engen »Unterkunft« hinaus und sahen, wie der Himmel aufklärte und die tief stehende Sonne ihre wärmenden Strahlen auf ihre Gesichter warf.

Als die Luft immer klarer wurde und die Sonne die Regennässe verdunsten ließ, konnte Jazz von ihrem Standpunkt aus erkennen, warum Lardis einen so schwierigen Weg gewählt hatte.

Unter ihnen erstreckte sich ein breiter Waldgürtel weit in die Ebene der Sonnenseite hinein. Bergflüsse durchzogen den Wald in einem eigenartigen Zickzackmuster, und die dunkelgrünen Tiefen des Waldes erschienen beinahe undurchdringlich. Hier oben waren die Flüsse noch kleine Bergbäche, die man leicht durchschreiten konnte, doch sie stürzten durch enge Schluchten hinab, vereinigten sich mit anderen Bächen und schwollen zu breiten Flüssen an, die sich durch den Wald wanden. Sicherlich konnte man dort hervorragend angeln, aber für einen Marsch wie diesen war das Gelände absolut ungeeignet. Es war also eine sehr einfache Wahl gewesen: entweder eine schwierige Route, oder eine unmögliche. Und außerdem hatte man von diesen Hängen aus einen weiten Ausblick über das Land, ein Faktor, der Lardis natürlich passte.

»Diesmal«, sagte Jazz zu Zek, »werde ich bestimmt schlafen.«

»Das hast du letztes Mal auch«, erinnerte sie ihn. »Merkst du, wie anstrengend das alles ist?«

»Allerdings.« Er brachte ein Grinsen zuwege. »Ich suche nach einem Muskel, der mir nicht wehtut! Und die Traveller müssen auch noch diese umständlichen Trageschlitten mit herumschleppen! Von denen beklagt sich keiner. Also glaube ich, du hast Recht gehabt: Man gewöhnt sich daran. Aber ich mag gar nicht daran denken, wie es jemandem hier geht, der nicht fit ist oder schon älter!«

»Ich war auch nicht gerade fit«, sagte sie nachdenklich. »Aber immerhin hatte ich mehr Eingewöhnungszeit. In gewisser Weise hatte ich Glück, dass mich Lady Karen zuerst entdeckte. Und natürlich auch, dass sie tatsächlich ... eine ›Lady‹ war, soweit die Voraussetzungen es gestatteten.«

»Die Voraussetzungen?«

»Sie trägt das Ei von Dramal den Verdammten in sich«, erklärte Zek. »Der Wamphyri-Lord Dramal war von dem Tage an zum Untergang verurteilt, als er einer Leprakranken das Blut aussaugte, und deshalb erhielt er diesen Namen. Ich werde es dir erklären: Lepra gehört zu den schlimmen Plagen der Traveller.

Ich frage mich, ob das vererbt oder durch Ansteckung übertragen wird ... Ich weiß nicht genug über diese Krankheit. Wenn ein Traveller die Symptome zeigt, wird er ausgestoßen. Von Zeit zu Zeit geschieht das, und sein Stamm verlässt ihn ganz einfach. Oder sie. Dramal hat in seiner Jugend vor vielleicht fünfhundert Jahren eine Frau genommen, die an Lepra litt. Die Symptome hatten sich bei ihr noch nicht gezeigt. Der Vampirlord fand sie anziehend, lebte mit ihr zusammen in seiner Felsenburg und trank ihr Blut. Ihren Fluch entdeckte er zu spät.«

Jazz war wieder überrascht. »Sie hat ihn infiziert? Aber ehrlich gesagt bin ich überrascht, dass überhaupt noch welche dieser schrecklichen Kreaturen am Leben sind! Ganz abgesehen von ihren ständigen Kriegen untereinander, trinken sie das Blut der Traveller, haben Sex mit deren Frauen und setzen sich andauernd der Gefahr von Ansteckung durch irgendwelche Krankheiten aus.«

»Und dennoch«, antwortete Zek, »sind sie auf ihre Weise durchaus vorsichtig. Jedenfalls die Lords und Ladies.«

»Vorsichtig?« Jazz war verblüfft. »Meinst du das im Ernst?«

Sie sah ihn lange an, ohne zu zwinkern. »Kakerlaken sind auf ihre Art auch vorsichtig. Doch alles in allem sind die Wamphyri schon ... wählerisch. Ihre dienstbaren Geister, ihre Hörigen – in der Regel Traveller, die zu Vampiren gemacht wurden, aber kein Ei erhielten, so wie jene, die du bei Shaithis gesehen hast – sind das nicht. Aber was die Gefahr durch Ansteckung betrifft: Das würde vielleicht zutreffen, wären sie menschlich. Aber wie du gesehen hast, sind sie das nicht. Sobald ein Mensch einmal zum Vampir geworden ist, ist er für Krankheiten nicht mehr anfällig. Deshalb leben sie auch so lang. Selbst der Alterungsprozess wird durch das Wamphyri-Erbe besiegt.«

»Aber gegen Lepra hilft das nicht? Willst du das damit sagen?«

»Offensichtlich. Jedenfalls ist Dramals Frau in der Festung gestorben, wo er sie gefangen hielt. Dann brach die Krankheit bei ihm aus. Natürlich wehrte sich der Vampir in ihm dagegen. Wenn Gliedmaßen abstarben, wurden sie regeneriert, und das

Fleisch wuchs einfach nach. Aber Dramal hatte keine Chance. Selbst der Vampir in ihm war infiziert. Als die Krankheit sich ausbreitete, brauchte Dramal alle vorhandene Energie, um sie zu bekämpfen und zurückzuhalten. Die anderen Wamphyri mieden seine Bergfestung, und selbst in Zeiten des Waffenstillstands hatte er keine Besucher. Sicher, er hatte seine eigenen Leute fest im Griff, aber als er schwächer wurde, begannen auch sie hinter seinem Rücken zu intrigieren. Sie hatten Angst, sich ebenfalls zu infizieren.

Das zog sich hin, beinahe fünfhundert Jahre des langsamen Verfalls, doch vor ein paar Jahren begann Dramal zu fürchten, das Ende sei nun wirklich nahe und einer der Großen Untoten werde sterben oder zumindest so geschwächt, dass seine Untergebenen sich gegen ihn erheben, ihn pfählen, ihm der Kopf abschlagen und seine Leiche verbrennen würden. Dann würden sie die Festung verlassen, die mittlerweile den Ruf einer Pesthöhle hatte. Er entschloss sich, sein Ei abzulegen, bevor sie dazu kamen, aber bestimmt nicht in jemanden aus dieser verräterischen Bande, die ihn umgab. So nahm er Karen Sisclu aus einem der östlichen Traveller-Stämme gefangen, machte sie zu einer Wamphyri und übergab all seine Macht an sie. In besseren Zeiten hätte er zweifellos sein Ei durch einen Geschlechtsakt weitergegeben, aber die Kraft dafür besaß er nicht mehr. Er hatte seine letzten Reserven verbraucht, um Karen in den Künsten der Wamphyri zu unterrichten, ihr die Geheimnisse seiner Bergfestung zu zeigen und ihr seine Siegel und all seine verschiedenen Tiere zu vermachen. Und deshalb küsste er sie lediglich, was vollkommen ausreichte, um sein Ei an sie weiterzugeben.«

Jazz konnte ein Schaudern nicht unterdrücken. Er verzog das Gesicht und sagte: »Gott, was für eine schreckliche Welt! Aber sag mal, wenn du bei ihr von besonderen Voraussetzungen sprichst, meinst du damit die Tatsache, dass sie nun eine Wamphyri ist, oder etwas Schlimmeres? Ich meine, hat sie Dramals Lepra nun geerbt?«

»Nein, das nicht«, antwortete Zek. »Doch es ist möglich, dass sie nun noch schlimmer in der Klemme sitzt, falls du dir so etwas vorstellen kannst. Sieh mal, es gibt eine Legende unter den Wamphyri, der zufolge die erste wahre Mutter eine menschliche Frau war, deren Vampir mehr als das eine Ei erzeugte, wie es normal der Fall ist. Die Eier kamen angeblich in einem endlosen Strom, bis der Vampir selbst und sein Wirtskörper – die Frau – so erschöpft und verbraucht waren, dass nichts von ihnen übrig blieb. Sie gebaren Vampire, bis nur noch ihre leblosen Hüllen vorhanden waren. Und so ähnlich hatte sich Dramal seine Rache an den anderen Wamphyri vorgestellt. Er wollte, dass hundert Vampireier in die Welt gesetzt würden – und in die Bewohner seiner Festung eingepflanzt – ja, sogar die Flugtiere und die Kampfkreaturen sollten Wamphyri werden! Was natürlich eine ungeheure Erniedrigung für die ganze verdorbene Rasse dargestellt hätte. Verstehst du?«

Jazz nickte, wenn auch ein wenig unsicher. »Ich glaube schon. Er hoffte, Karen würde zur Mutter werden und ihr Vampir würde einen endlosen Strom von Eiern produzieren. Aber wie konnte er sicher sein, dass dieser Plan funktionieren würde?«

»Konnte er wohl nicht«, sagte sie achselzuckend. »Möglich, dass er es nur gehofft hat, aber jedenfalls sagte er Karen, es werde so kommen. Und sie – die arme, verdammte, zum Untergang verurteilte Kreatur, die sie ist – glaubt daran! Und die Wamphyri verfügen über eigenartige und geheimnisvolle Kräfte. Vielleicht behält er tatsächlich Recht? Wie auch immer, er ist nun verfallen, und sie wartet ... und ihr Vampir wächst langsam heran. Manche allerdings reifen schneller als andere. Bei einigen dauert es nur Tage, bei anderen wieder viele Jahre. Sollte ihr Vampir tatsächlich eine solche *Mutter* sein, wird sie dasselbe Schicksal erleiden, wie die Urmutter der Legende ...«

Zek unterbrach sich und berührte Jazz' Wange. Bevor sie die Hand zurückziehen konnte, küsste er ihre Finger. Die Eingebung eines Augenblicks – bei beiden.

Sie lächelte ihn an und schüttelte den Kopf. »Ich weiß, was du denkst«, sagte sie. »Dazu muss ich deine Gedanken nicht lesen. Du hast tatsächlich den Verstand eines Grashüpfers: von einem solch trüben Thema kommst du auf ... flirten!« Dann wurde sie ernst. »Aber du hast Recht, Jazz das ist eine schreckliche Welt! Und wir stecken mitten drin. Wir sollten unsere Kräfte aufsparen.«

»Ich habe bemerkt«, sagte er lächelnd, »dass du immer in meiner Nähe bleibst. Vielleicht ist es ganz gut, dass ich *deine* Gedanken nicht lesen kann!«

Sie lachte. »Es gibt eine Menge lediger Traveller, Jazz«, erklärte sie. »Für sie – wie auch für Lardis – wird es aussehen, als habe ich mich entschieden, ob das nun stimmt oder nicht. Auf diese Weise muss ich sie mir nicht ständig vom Leib halten. Aber bring mich nicht dazu, dass ich mir dich auch vom Leib halten muss, denn ich weiß nicht, ob ich das fertig bringen würde.«

Er seufzte übertrieben und knurrte: »Worte, nichts als Worte!« Dann grinste er. »Okay, lassen wir es dabei. Und außerdem tut mir ohnehin jeder Knochen weh.«

Am Ende ihrer nächsten Etappe schien die Sonne einige Grad nach Osten gewandert und gleichzeitig deutlich gesunken zu sein, aber vielleicht lag es nur daran, dass die Traveller nun aus den Bergen heraus waren und sich der Horizont für sie gesenkt hatte. Wie auch immer, Jazz bemerkte an Lardis und seinen Leuten eine erhöhte Nervosität und Wachsamkeit. Der Pass durch die Bergkette lag noch immer nicht mehr als einige Kilometer Luftlinie im Osten, und der Sonnenuntergang war sichtlich näher gekommen. Ja, und der Wamphyri-Lord Shaithis hatte ein Hühnchen mit ihnen zu rupfen. Je eher sich der Stamm in seine Zuflucht zurückziehen konnte, desto besser.

Sie waren einem recht deutlichem Pfad aus den Bergen herunter gefolgt, auf dem das Vorwärtskommen einfach und ihr Marschtempo hoch gewesen war. Sie hatten fast dreißig Kilometer in einer Zeit zurückgelegt, die eigentlich für die Hälfte dieser Strecke vorgesehen war, worüber Lardis natürlich froh war. Er ließ das Lager am Westufer eines Flusses am Rand der großen Wälder aufschlagen und eröffnete seinen Leuten, dass sie sich diesmal vier Stunden lang ausruhen durften. Er sandte auch Jäger in die Savanne aus, in deren mannshohem Gras sich alle möglichen Vögel und andere Tiere verbergen mochten. Dann suchte er sich einen Fleck am Ufer, warf eine Angel aus und saß dort in der langen Dämmerung in Gedanken und Pläne versunken.

Mittlerweile hatten seine Männer Zeichen entdeckt, die von den Botenläufern zurückgelassen worden waren und die besagten, dass das nächste vorbereitete Lager in kaum acht Kilometern Entfernung zu finden sei, und das Hauptlager etwa fünfunddreißig Kilometer dahinter. Als auch noch ein mächtiger Wels bei Lardis anbiss, war er vollends zufrieden. Alles schien sich planmäßig zu entwickeln.

Während Zek ein Bad im Fluss nahm, reparierte Jazz ihre Maschinenpistole, reinigte und ölte sie und machte sie gebrauchsfertig. Im Fall einer weiteren Auseinandersetzung waren zwei Feuerwaffen besser als eine. Er hatte verlangt, dass man ihnen auch den Rest ihrer Ausrüstung herbei brachte. Er wollte, dass wenigstens einer der Zigeuner – am besten Lardis selbst – mit einigen seiner Ausrüstungsgegenstände umgehen lernte, vor allem mit dem Flammenwerfer! Als das Gepäck vor ihm lag, stellte Jazz zu seiner Überraschung fest, dass es völlig unberührt war. Das war auch gut so! Ganz unten auf der einen Seite lag eine kleine Packung mit sechs tödlichen russischen Splittergranaten. Nur Hühnerei groß erinnerten sie Jazz an in Folien verpackte Schokoladen-Ostereier, wie sie so in ihrer Styropor gepolsterten Holzschachtel lagen. Falls jemand daran herumgefummelt hätte ... Jazz nahm jedoch an, dass ihm das kaum verborgen geblieben wäre.

Lardis hatte sich den noch immer zuckenden und mit dem Schwanz schlagenden Wels über die Schulter gelegt, nickte auf dem Weg zum Lager Zek und Jazz zu und rief: »Ich muss den hier erst loswerden, dann komme ich zurück und schaue mir eure Tricks an!«

Sie sahen ihm nach, bis er außer Sicht war, und wandten sich wieder ihrer jeweiligen Tätigkeit zu. Während Zek ihr Haar trocknete, probierte Jazz ihre MP zum letzten Mal aus. Er wurde durch das vertraute trockene Klicken für seine Arbeit belohnt. Zufrieden nickend sicherte er die Waffe wieder und ließ ein neues Magazin einrasten. Er gab Zek die Waffe und sagte: »Hier! Jetzt hast du in dieser Welt wieder etwas zu melden. Ich habe noch sechs volle Magazine und Patronen genug, um vier davon nachzuladen. Also fünf Magazine für jeden. Keine tolle Ausstattung, aber immerhin besser als nichts.«

Er nahm eine Granate zur Hand und wog sie vorsichtig. Den Abzugsring berührte er dabei nicht. Die Kugel war mit hochexplosivem Sprengstoff gefüllt, die bei einer Detonation etwa zweihundert krumme Metallsplitter mit der Geschwindigkeit einer Pistolenkugel nach außen fetzte. Eine vernichtende Wirkung! Selbst der mächtigste Wamphyri-Lord hatte keine Chance dagegen. Eine solche Explosion würde ihn zumindest vorübergehend zum Krüppel machen und ihm im besten Fall den Kopf abreißen. Jazz hätte die Granaten im Kampf gegen Shaithis gern benützt, aber er hatte nicht gewusst, ob die Traveller nicht doch daran herumgespielt hatten, und außerdem hatte er die MP gerade zur Hand gehabt.

Zek brachte seine Gedanken zurück in die Gegenwart. »Möchtest du, dass ich dir die Bergfestung von Lady Karen schildere?«

Jazz stand auf. »Ja, während ich ein Bad nehme. Ich rieche allmählich schon wie du bei unserem ersten Zusammentreffen.«

Er zog sich bis auf die Unterhose aus und sprang mutig ins Wasser. Nach einer Weile schwamm er wieder ins seichte Wasser am Ufer und begann sich zu waschen. Als er fertig, wieder draußen und trocken war, sagte er: »Okay, jetzt erzähle mir von diesen Bergfestungen der Vampire. Ich habe das Gefühl, es wird mir nicht gefallen, aber schieß los!«

Und so fuhr sie mit ihrer Erzählung fort ...

ACHTES KAPITEL

»Lass mich dir zuerst einmal versichern, dass kein menschliches Wesen jemals eine Felsenburg der Wamphyri wirklich adäquat zu beschreiben vermag! Ich glaube nicht, dass in unserer Sprache – oder in überhaupt einer Sprache der alten Welt – die richtigen Worte dafür existieren. Und falls doch, würde die Beschreibung endlose Wiederholungen von düsteren Adjektiven beinhalten, so dass sie schnell langweilig würde.

Deshalb werde ich es so erzählen, wie *ich* alles gesehen habe, mit meinen Augen! Ich werde mich nicht mit grotesken Anomalien und Abnormalitäten aufhalten, verstehst du?

Lady Karens Felsenburg hatte Lord Dramal gehört und dürfte eine typische Wamphyri-Festung sein, wie sie oben auf diesen Felsnadeln thronen. Beginnen wir also mit diesen Felsformationen.

Soweit ich feststellen konnte, sind sie natürlichen Ursprungs, vermutlich nach der Verwitterung von Bergen zurückgebliebene Reste. Wieso solche Felsnadeln stehen blieben, während der Stein um sie herum verwitterte ... Ich bin kein Geologe. Vielleicht waren es Reste vulkanischen Ursprungs – Basaltsäulen, die in den Schloten alter Vulkane erstarrten und so stehen blieben, weil sie härter als das sie umgebende Gestein waren? Die Krater sind vergangen, doch diese Stöpsel aus den uralten Schlünden sind noch vorhanden ... Natürlich ist das eine bloße Annahme, und es spielt letzten Endes keine Rolle. Die Felssäulen sind nun einmal vorhanden, und seit undenklichen Zeiten haben die Wamphyri ihre Festungen obenauf gebaut.

Wenn man sie aber nur aus der Entfernung betrachtet, bekommt man kein vollständiges Bild von ihnen. Was du siehst, ist nur die äußere Hülle, die von den Wamphyri im Laufe der Jahrhunderte um den inneren Kern herum angelegt wurde. Was natürlich als Nächstes die Frage aufwirft, woraus diese Hülle besteht.

Nun, man könnte das in etwa mit einem Korallenstock in einem tropischen Meer vergleichen. Da ist der Stein, und die lebenden Korallen bilden eine Haut um ihn. Diese Haut stirbt ab und wird selbst zu Stein. Im Meer besteht also diese Hülle aus abgestorbenen Korallen. Und auf den Felsnadeln besteht sie ... aus abgestorbenem Fleisch.

Wenn eine Felsenburg reparaturbedürftig ist oder ausgebaut werden soll, züchten die Wamphyri Kreaturen, die aus lebendigem Vampirgewebe bestehen und eine Lücke überbrücken – überwachsen –, die einen neuen Teil einer Wand bilden, oder gar eine ganze Mauer. *Aus ihren lebendigen Vampirkörpern* entstehen so neue Gebäudeteile und andere werden ergänzt und repariert! Ich sagte ›züchten‹, doch das mag der falsche Ausdruck sein. Sie züchten nichts Neues, sondern verändern nur. Beispielsweise nehmen sie aus ihrem Nahrungsmittelvorrat einen Troglodyten oder einen zu bestrafenden Gefolgsmann, oder sie entführen ein paar Traveller von der Sonnenseite als *Arbeitsmaterial.* Wessen Körper das ist, spielt für die Wamphyri keine Rolle. Sie nehmen ihn, verwandeln ihn und passen seine Gestalt den jeweiligen Bedürfnissen an. Diese Massen aus lebendigem Fleisch kleben oder hängen sich an die zu reparierenden Stellen, sterben dort ab und werden schließlich zu Stein. Da sie vampirischen Ursprungs sind – zumindest wurden sie ja vampirisiert, um sie verwandeln zu können – brauchen sie sehr lange, um abzusterben. So altern sie und werden ... starr.

Was ich damit sagen will, ist Folgendes: Geht man durch eine Felsenburg, bewegt man sich öfter zwischen verschmolzenen, in neuer Form erstarrten Knochen und der harten, zu Leder gewordenen Haut von etwas, das einst Menschen waren. Und sollte man wirklich genau hinsehen – was man sehr schnell zu vermeiden lernt – kann man noch die Formen von Rippenbögen, Hüftknochen, Wirbelsäulen und sogar ... na ja, ich schätze das genügt, um dir ein Bild zu verschaffen.

Die Wamphyri vertragen extreme Kälte. Das heißt nun nicht, dass sie diese schätzen, aber sie sind eben ziemlich immun dagegen. Außer bei Belagerungszuständen wärmen sie die Felsenburgen lediglich durch eine komplizierte Form von Zentralheizung. Unten am Fuß der Felsnadeln wird Gas verbrannt. Die heiße Luft steigt durch Hohlröhren – Reste alter Knochen – in alle Stockwerke hinauf. In anderen Röhren wieder steigt das Gas selbst auf, um an Ort und Stelle verbrannt zu werden. Dieses Gas wiederum stammt aus zwei Quellen.

Jede Felsenburg verfügt über eine Abfallgrube. Dort hinein kommt alles – auch körpereigene Abfälle und Abfall-Körper ... Du weißt ja, wovon sich Vampire ernähren. Nun, sie sind nicht unbedingt angewiesen und sie kommen sehr lange Zeit ohne Blut und andere Nahrung aus, und sie ergänzen ihre Nahrung durch pflanzliche Fasern, Öle und sogar Obst, das während der Zeit des Sonnunter auf der Sonnenseite geerntet wird. Sie haben große Lagerhäuser für solche zusätzlichen Nahrungsmittel, ganz zu schweigen von Lagerhäusern für betäubte Trogs und Traveller. Aber lass mich erst von ihren üblichen ›Lebensmitteln‹ berichten.

Wenn eine Person aufgegessen wird und nicht zum Vampir werden soll, werden ihre Überreste zusammen mit dem übrigen Abfall in die Abfallgrube geworfen. Wenn du einrechnest, dass in einer Felsenburg etwa tausend ... Kreaturen hausen, bekommst du vielleicht einen Begriff davon, was eine Abfallgrube alles enthält! Natürlich entstehen dort große Mengen an Gasen. Diese werden für gewöhnlich des Gestanks wegen nahe bei ihrer Quelle verbrannt, also ganz unten in den Felsnadeln. Sonst wäre es oben ziemlich unerträglich!

Und dann sind da unten auch noch die Ställe der Gastiere. Die Bezeichnung sagt dir ganz präzise, was sie sind: lebendige Gasblasen ohne Hirn, wie die Gewebe-Kreaturen. Ihr einziger Zweck ist die Produktion von Gas. Man füttert sie mit allen Sorten von Gras und Getreide. Was in ihren Körpern entsteht, ist etwas Ähnliches wie Methan. Ich glaube, mehr muss ich dazu nicht sagen.

Was das Wasser betrifft: Ich sagte ja bereits, dass die Wamphyri auf ihre Art wählerisch sind. Lady Karen beispielsweise badet häufig, genauso oft wie ich. Ich habe sie beim Baden beobachtet, und mir schien, als wolle sie den Makel des Vampirdaseins aus sich heraus schrubben, was halt leider nicht möglich ist. Und doch hat sie es immer wieder versucht. Oh ja, zu ihren Gefolgsleuten kann sie hart sein, aber was ist sie innerlich anderes als ein armes, verängstigtes Mädchen? Jedenfalls war sie das.

Wie auch immer, eines ist klar: Wasser steigt auch in engen Röhren nicht so schnell hoch wie Gas. In unserer Welt muss es hoch gepumpt oder durch erheblichen Gasdruck hoch gepresst werden, oder es wird von oben herab durch Fallrohre geleitet. Die Felsenburgen haben ihre Auffangbecken überall. Von dort fließt das Regenwasser in große Fässer, deren Überlauf wiederum in andere Fässer geleitet wird. Sollte es einmal sehr stark und anhaltend regnen, sind die Zisternen unten am Fuß restlos gefüllt. Doch da es nicht regelmäßig regnet, würde dieses System nicht ausreichen, falls es zu einer Belagerung kommt. Deshalb gibt es ein Reservesystem.

Du weißt, wie das mit den Kapillarröhrchen läuft? Wie das Wasser durch einen Pflanzenstiel oder zwischen zwei Glasplatten aufsteigt? Die Wamphyri benutzen das, um Wasser aus ihren Zisternen bis zum obersten Stock der Felsenburgen zu transportieren. Sie benützen dazu Röhren, die vorher genau das Gleiche waren – nämlich Kapillaren im menschlichen Körper! Echte Kapillaren, Jazz, deren ›Eigentümer‹ in friedlichem Pseudoleben in geheim gehaltenen Räumen der Burgen schlummern. Geheim deshalb, weil die Wamphyri es nicht ertragen könnten, diese Geschöpfe in ihrer Gegenwart herumliegen zu sehen. Sie machen durchaus einen Unterschied zwischen annehmbar und unannehmbar! Und der einzig sinnvolle Ort für ein Wesen, dessen Adern in Röhren fast einen Kilometer herunter hängen, liegt natürlich ganz oben. Und weil sie kein schöner Anblick sind, verbergen die Wamphyri sie in geheimen Räumen.

In Lady Karens Felsenburg bin ich über einen solchen Raum und seine ›Bewohner‹ gestolpert. Das ist aber auch schon alles, woran ich mich erinnere. Ich weiß noch, dass ich den Raum fand, dass jemand anders mich dort aufstöberte und herausbrachte. Ich war in Ohnmacht gefallen. Ich habe nichts davon im Gedächtnis behalten, bis auf die Tatsache, dass ich dort war. Aber das hat mich wenigstens rechtzeitig gewarnt, wenn ich wieder in die Nähe kam, damit ich nicht noch einmal hineinstolperte.

In den unteren Regionen befinden sich auch die Ställe für die Krampfkreaturen. Sie werden dort wie die Löwen in den römischen Arenen so gehalten, dass sie fast immer kurz vor dem Verhungern stehen. Gut, genau wie die Wamphyri müssen sie eigentlich nicht essen. Tun sie es doch, dann bevorzugen sie Fleisch – lebendiges Fleisch. Sie sind reine Raubtiere und Fleischfresser, dazu gezüchtet, zu reißen, zu zermalmen, zu töten und zu verschlingen. Sie werden nach einem Kampf damit belohnt, dass sie sich an den Opfern voll fressen können. Sie springen von den höchsten Türmen der Felsnadeln und flappen wie riesige Tintenfische nach unten, doch wenn sie gesiegt haben, sind sie nach ihrem Festmahl so schwer, dass sie nicht mehr fliegen können. Dann müssen sie zu Fuß über die Ebene zu ihrer Felsenburg zurück. Von Kämpfen abgesehen, benützen die Wamphyri sie auch bei Sonnunter, um die Traveller zusammenzutreiben. Bei Erfolg dürfen sie den einen oder anderen als Leckerbissen auffressen.

Genug von ihnen. Bete einfach darum, dass du nie einen von ihnen zu Gesicht bekommst. Und vor allem nicht im Kampf ...

Die Flugtiere werden in allen möglichen Stockwerken untergebracht. Die hast du ja schon erlebt und weißt, wie sie aussehen. Sie sind an sich nicht besonders gefährlich. Am Boden sind sie schwerfällig und dumm; in der Luft dagegen bewegen sie sich schnell und elegant. Sie sind durch Telepathie mit ihren Herren verbunden und werden so gesteuert. Das muss funktionieren, wenn die Wamphyri auf ihnen in den Kampf fliegen. Sie stellen eine Art von fliegenden Kommandoeinheiten dar.

Noch etwas in Bezug auf die Wamphyri und ihre Kämpfe: Sie

haben ihre eigenen Kampfregeln, einen verdrehten Ehrbegriff, andere Werte als wir und eine andere Art von Ritterlichkeit. Kannst du dir das vorstellen? Aber natürlich ändert jeder die Regeln ständig nach eigenem Gutdünken – und bestimmt nicht zu seinem Nachteil. Falls es dann einmal zum direkten Kampf Mann gegen Mann kommt, gibt es für die hochrangigen Offiziere und Lords nur eine ehrenvolle Waffe: den Kampfhandschuh. Irgendwo im Osten, in einer kleinen Zigeunersiedlung, werden diese schrecklichen Waffen im Auftrag der Wamphyri angefertigt. Alle Metallgegenstände lassen sie bei den Travellern anfertigen, denn sie selbst haben keine Ahnung von Metallbearbeitung, oder genauer, sie haben eine Abneigung gegen Metalle. Silber ist Gift für sie, Eisen verachten sie, nur Gold ist einigermaßen akzeptabel.

So, jetzt hast du ein etwas klareres Bild vom Leben der Wamphyri in ihren Felsenburgen. Wenn du das jetzt noch hören willst, berichte ich dir von meinen Erlebnissen in Karens Festung ...«

Jazz beendete sein Bad und kletterte aus dem Fluss. Er fühlte sich entspannt – das Wasser schien viel von seiner Anspannung und Nervosität weggewaschen zu haben. Er wischte sich die Tropfen mit den Handkanten am Körper herunter und schauderte ein wenig, da die ganz, ganz langsam nachlassenden Sonnenstrahlen der Abendkühle Platz machten. Als er sich wieder anzuziehen begann und Zek mit ihrer Geschichte fortfahren wollte, sahen sie, dass Lardis am Ufer entlang auf sie zu schritt.

Jazz hatte die Lederriemen seiner Kampfausrüstung voneinander gelöst und nur den Gürtel mit den beiden Brustriemen und den daran hängenden Taschen und Geräten verbunden gelassen. Während Lardis herankam und neugierig die herumliegenden Ausrüstungsgegenstände betrachtete, half Zek Jazz dabei, den Rest wieder anzulegen. Er zog es vor, in voller Montur zu schlafen, oder zumindest mit einer Notfallausrüstung, um auf alle Eventualitäten vorbereitet zu sein.

Schließlich nahm Jazz eine Zigarette aus der Tasche, zündete sie an und wandte sich dem Stammesführer der Traveller zu – und ertappte ihn dabei, wie er neugierig die Sicherungsnadel aus einer Splitterhandgranate zog!

Jazz holte tief Luft, schubste Zek zu Boden und hechtete auf Lardis zu. Der hatte das Entsetzen auf Jazz' Gesicht noch gar nicht bemerkt. Er blickte nur Stirn runzelnd auf die Granate in seiner Linken und die Nadel in seiner Rechten hinab. Jazz entriss ihm die Granate. Im Kopf hatte er mitgezählt: *eins, zwei, drei ...*

Er schleuderte die Handgranate auf den Fluss hinaus. *Vier, fünf ...*

Sie klatschte ins Wasser, und ein viel gewaltigeres Klatschen folgte augenblicklich darauf!

Die Explosion donnerte über den Fluss, doch zum Glück blieben die meisten Splitter im Wasser und somit harmlos. Einige aber heulten durch die Luft über sie hinweg. Eine Wasserfontäne schoss hoch, fiel wieder in sich zusammen, und Echos grollten vom Waldrand und von den Bergen herüber, während Wellen platschend ans Ufer rollten. Dutzende toter Fische schwammen bereits mit den Bäuchen nach oben im Fluss.

Lardis schloss den Mund, sah die Sicherungsnadel in seiner Hand erschrocken an und warf sie schnell und schuldbewusst weg. »Eh?«, fragte er. »Was ...?«

Jazz warf ihm einen finsteren Blick zu und bemerkte: »Ziemlich wirksame Art zu fischen!«

Lardis begriff seinen Sarkasmus nicht. »Äh? Oh ja, ist wohl recht wirkungsvoll gewesen.«

Der untersetzte und im Moment äußerst verblüffte und erschrockene Mann wandte sich um, stieg die Uferböschung hinauf und auf seine Leute zu, die aufgeregt heranstürmten.

»Das war *allerdings* wirksam«, stimmte er schließlich Jazz zu. »Aber ich ziehe es vor, auf meine alte Art Fische zu fangen.« Er warf einen Blick auf Jazz' Ausrüstung am Boden und stellte noch fest: »Ach ja, zeig mir diese ... Dinge doch bitte ein andermal. Im Augenblick habe ich zu viel zu tun.«

Jazz und Zek sahen ihm hinterher, als er wegging und dabei beruhigend auf seine Leute einsprach.

Als Jazz eine Sachen wieder eingepackt und sich gemütlich niedergelassen hatte, setzte Zek ihren Bericht fort:

»In Karens Felsenburg hatte ich mein eigenes Zimmer. Sie und ich – wir teilten uns das oberste Stockwerk: enorme Hallen, unglaublich viel Platz, und wir waren die einzigen menschlichen Bewohner. Vergiss nicht, die Wamphyri sind menschlich. Nur der Vampir in jedem von ihnen macht aus ihnen diese fremdartigen Wesen, und Karens Vampir beherrschte sie noch nicht ganz. Also waren wir die einzigen Menschen dort droben; allerdings gab es da noch eine der Kampfkreaturen. Es war ein kleiner Vertreter dieser Sorte, höchstens so groß wie ein Schützenpanzer und genauso tödlich. Er bewachte das Treppenhaus zum nächst unteren Stock. So sehr vertraute Karen ihren Untergebenen!

Und dann befanden sich noch diese Wasserbeförderungsgeschöpfe in dem geheimen Raum oben. Aber das war alles.

In regelmäßigen Abständen – ich rechnete später aus, dass es etwa alle vierundzwanzig Stunden stattfand – hielt Karen eine Lagebesprechung ab. Sie rief ihre Offiziere herauf, alle sieben, von denen keiner ein Ei in sich trug, hörte ihre Berichte an und gab Befehle aus. Sie berichteten, wie sie Karens Aufträge ausgeführt hatten, ob es irgendwelche Abweichungen von der Norm des Lebens in der Felsenburg gab, empfahlen Maßnahmen und dergleichen mehr. Beinahe wie beim Militär. Karen machte eine sehr gute Figur dabei. Das waren übrigens die einzigen Gelegenheiten, bei denen ich Karens Männer ohne die Kampfhandschuhe zu sehen bekam. Ihr Krieger hatte den telepathischen Befehl von ihr erhalten, jeden zu zermalmen, der mit einem Kampfhandschuh ihr Stockwerk betreten wollte.

Aber lass dich von alledem, was ich dir über sie erzählt habe, nicht täuschen! Begehe nicht den Fehler, sie für schwach oder verwundbar zu halten! Denn das war sie nicht – physisch zumindest. Sie war schließlich eine Wamphyri, und das war auch ihren

Untergebenen stets bewusst. Sie wirkte – und vielleicht dachte sie auch noch so – wie eine junge Frau, doch das war nur äußerlich. Aber in sich trug sie einen Vampir, und auch seine Kraft war in ihr und wuchs täglich. Sie wollte nicht ständig von ihren Leuten belauert werden, ob sie Anzeichen von Schwäche zeigte, und sie wollte auch nicht gezwungen sein, sie zu bestrafen, wie es im Falle von Corlis notwendig gewesen war. Dann hätte sie das Ungeheuer in ihrem Körper zu Hilfe rufen müssen, was sie nicht wollte. Sie fürchtete, wenn der Vampir einmal in ihr Überhand gewann, würde es für immer so bleiben. Das stimmt natürlich, denn es liegt in der Natur der Vampire. Karen ist dazu verflucht, sich beizeiten zu verwandeln, die gleiche Metamorphose zu durchlaufen, wie die anderen vor ihr.

Ich erinnere mich, dass ich Karen gegen Ende meiner Gefangenschaft in ihrer Festung einmal gefragt habe, was Corlis getan hatte, dass sie ihn in das Höllenland verbannen wollte. Da ich wohl die Einzige war, mit der sie sprechen konnte, ohne ihr misstrauen zu müssen, hat sie mir die ganze Geschichte erzählt.

Corlis war der Größte unter Karens Männern gewesen, sowohl was die physische Seite betraf, wie auch in der Rangordnung innerhalb der Festung. Er war ewig mürrisch und ziemlich aufsässig – wohl das Wamphyri-Gegenstück zu einem Macho ... Selbst als Traveller war er berüchtigt gewesen, vierzig Jahre zuvor! Dann war er bei einem Überfall gefangen genommen worden, und seither hatte er Dramal gedient, falls *dienen* die richtige Bezeichnung dafür ist. Weiß der Himmel, warum Dramal ihn um sich geduldet hat, aber bei den Wamphyri kann man so was nie genau sagen. Vielleicht hatte Dramal beabsichtigt, sein Ei an Corlis weiterzugeben. Doch das ist nur eine Vermutung.

Sagen wir es so: Corlis war kein echter Wamphyri, aber wenn je ein Mann das verdient gehabt hätte, dann er! Und das war ihm bewusst.

Die meisten Menschen würden davor zurückschrecken, aber Corlis nicht. Er *wollte* ein Ei haben und die Macht, die es mit sich brachte. Er wollte zum Lord unter den Wamphyri aufsteigen und die Festung beherrschen. Nichts hätte ihm besser gefallen, als auf dem Rücken eines der Flugtiere in den Kampf zu fliegen und dabei seine Krieger zu befehligen. Doch während sich seine Kameraden als Wamphyri bezeichneten, wussten sie doch, dass sie lediglich untote Diener ihrer Vampirherrin waren. Und das war der Stachel in seinem Fleisch.

Er hatte Lady Karen dazu aufgefordert, ihn zum Truppenführer der Festung zu ernennen. Daraufhin hatte sie ihm erklärt, sie benötige keinen Truppenführer, weil sie keinen Krieg führe. Er wollte im Rang über den anderen stehen, musste sich jedoch sagen lassen, dass er dazu kein Recht habe. In einer Felsenburg konnte es nur einen Herrn – oder in diesem Fall eine Herrin – geben, und das war nun einmal *sie*. Dann hatte Corlis sich angeboten, Karens Liebhaber und Beschützer zu werden! Nun hatte sie die Nase voll und schrie ihn an, dass sie lieber mit einer Kampfkreatur schlafen würde als mit ihm. Und was seinen Schutz betraf: Er solle sich lieber um die eigene Sicherheit Sorgen machen, falls er vorhabe, weiterhin nur zu stänkern und zu intrigieren.

Aber Corlis gab sich noch nicht geschlagen. Er behauptete hitzig, dass sich die anderen Wamphyri-Lords auf den Krieg vorbereiteten, dass jetzt, nach Dramals Tod, die Festung gefährdet sei, und dass Karen als Frau niemals in der Lage sein werde, eine Armee in den Kampf zu führen. Sie solle lieber ganz schnell ihren Favoriten erwählen, der sie in der Kriegsführung vertreten konnte, und dieser Favorit durfte ja wohl kein anderer als *er* sein!

Daraufhin befahl Karen ihm, aus ihrer Gegenwart zu verschwinden – ihm und den anderen sechs, die dabei waren. Vier davon hatten klar gemacht, dass sie ihr ergeben seien, aber die anderen ... Sie hatten sich auf Corlis' Seite geschlagen. Corlis und seine beiden Anhänger warnten die Übrigen, nichts zu unternehmen, und dann umringten sie Karen, die auf ihrem mächtigen Thron saß – einst Dramals »Knochenthron«, weil er aus dem gekrümmten, versteinerten Unterkiefer eines gewaltigen

Geschöpfes bestand, das mit seinem Körpergewebe zum Bau der Festung beigetragen hatte. Unter seiner Jacke holte nun einer der Verräter einen spitzen Holzpflock hervor, wie er seit undenklichen Zeiten in jeder Felsenburg streng verboten war, und ging damit auf sie los. Der Zweite holte eine Eisenkette heraus, um sie damit zu fesseln. Und Corlis: Der stand mit überkreuzten Armen da und sah lediglich zu. Er wollte Karen pfählen und ihr dann drohen, er werde ihr den Kopf abschlagen und ihre Reste verbrennen. Er hoffte, dass diese Bedrohung den Vampir in ihr dazu bringen werde, ein Ei abzulegen, denn vom unmittelbaren Tod bedroht, gelingt dies auch schon einem jungen Vampir. Das Ei würde er bekommen, denn er plante, sich in eine Lage zu bringen, wo kein anderer Wirt für das neue Ei in Frage kam. Um es genauer zu sagen: In der sexuellen Vereinigung mit seinem Opfer!

Doch Karen hatte geahnt, was er vorhatte. Als Wamphyri besaß sie auch in gewissem Maße die Fähigkeit zur Telepathie. Nun, da sie diese Fähigkeit dringend benötigte, half sie ihr gleich in zweierlei Hinsicht: Zum einen erkannte sie Corlis' Absichten rechtzeitig, und zum anderen rief sie damit ihre Kampfkreatur von seinem Platz im Treppenhaus herbei. Das Wesen kam – und zwar schnell!

Corlis und seine beiden Helfer hielten Karen fest. Sie trug zwar ihren Handschuh nicht, wehrte sich trotzdem nach Kräften. Sie lag nicht still genug für denjenigen mit der Kette, um sie zu fesseln. Ihre langen Nägel rissen Striemen in Corlis' Gesicht, und sie trat demjenigen mit dem Pflock mehrmals kräftig in den Unterleib. Die vier, die ihr an sich die Treue hatten halten wollen, traten unentschlossen von einem Bein auf das andere, und wussten nicht, was sie unternehmen sollten. Aber dann, als sie Karens Kampfkreatur herannahen sahen, wussten sie plötzlich, was zu tun war! Die Seite des Siegers ist eben immer die bessere ...

Zwei von ihnen sprangen den mit dem Pflock an und schleiften ihn weg. Die in höchster Erregung heranstürmende Bestie nahm ihn den beiden ab, und das war sein Ende. Er besaß kein Ei, war nur ein Wesen aus untotem Fleisch und Blut, und eine Kampfkreatur weiß, wie man damit umzugehen hat. Die anderen beiden mehr oder weniger Getreuen hielten Corlis mit aller Macht fest. Er hatte es natürlich noch nicht geschafft, Karen zu vergewaltigen. Die Lady selbst nahm sich denjenigen mit der Kette vor. Im Gegensatz zu Corlis war er relativ klein gewachsen, und ihre ganze vampirische Wut war nun geweckt.

Sie zerrte ihn kreischend zum Thron und schlug sein Gesicht immer wieder auf das spitze Ende der Armlehne. Das war der eine Eckzahn der Kreatur gewesen, aus deren Kiefer der Thron gearbeitet war. Der Zahn drang dem Verräter in den Mund und kam an der Schädelbasis hinten wieder heraus. So kniete er vor dem Thron und flappte herum wie ein Fisch am Speer. Man brachte ihn anschließend zur Abfallgrube.

Und Corlis brachten sie zum Tor, wie du ja weißt ...«

Zek sah Jazz an, der mit geöffneten Augen da lag und lauschte. Aber sie bemerkte auch, dass er die Augen nur noch mit Mühe offen halten konnte.

»Ich bin auch müde«, sagte sie. »Lass uns jetzt schlafen, und ich erzähle auf der nächsten Marschetappe weiter. Wir werden Sonnunter ja wohl in der Sicherheit der Höhlen verbringen. Dann kannst du mir Löcher in den Bauch fragen. Aber bis dahin weißt du wahrscheinlich genauso viel wie ich.«

Jazz nickte. »Du machst das großartig!«, lobte er, während er zuschaute, wie sie sich bequem zurücklegte. Dann unterdrückte er ein Gähnen und fragte: »Zek?«

»Ja?« Sie wandte ihm ihr Gesicht zu und sah ihn an. Ihre Miene wirkte eigenartigerweise gleichzeitig geheimnisvoll und spitzbübisch.

»Nach der Sache hier, dann könnten ... wir beide ... uns eigentlich ...«

Sie schüttelte den Kopf und unterbrach ihn. »Wir fühlen uns zueinander hingezogen, weil wir sonst niemanden haben«, erklärte sie ihm. »In den Höhlen können wir auch miteinander schlafen, wenn es das ist, was du willst. Glaube nicht, dass ich dich damit belohnen will. Ich möchte es auch! Aber mache mir bitte keine weiteren Versprechungen, falls und wenn ... okay? Wir haben keine Ahnung, was kommen wird und wann. Sollten wir das Glück haben, je wieder nach Hause zu kommen, wird das so, als treten wir aus der Dunkelheit ins Licht. Es kann sein, dass wir uns dann in ganz anderem Licht sehen! Belassen wir es dabei.«

Er lächelte, gähnte wieder und nickte. *Was für eine sagenhafte Frau!* »In Ordnung, Zek, aber ich bin schon immer Optimist gewesen. Mein Wort darauf: Wir schaffen es!«

Sie entspannte sich, schloss die Augen und sagte: »Also, ein Hoch auf den Optimismus, auf das Ende eines hoffentlich reibungslosen Marsches, auf den Herrn des westlichen Gartens, und, äh ...«

»Auf die Zukunft?«

»Ja, auf die Zukunft«, stimmte sie zu. »Darauf werden wir trinken – bei der nächsten Gelegenheit. Sie sollte weiß Gott besser werden als die Vergangenheit ...«

NEUNTES KAPITEL

Tiefe Dämmerung lag über der Ebene. Ein paar Vögel zwitscherten gedämpft im hohen Gras. Zur Rechten erhoben sich die Berge – dunkel, wo ihre bewaldeten Ausläufer endeten, doch mit golden gefärbten, schneebedeckten Gipfeln. Der Clan von Lardis den Traveller bewegte sich leise voran ohne ein Wort und verursachte nur unvermeidbare Geräusche, wie das Rascheln von Planen und das Quietschen und Knirschen der Trageschlitten. Im Schatten der Wälder marschierten sie am Fuß der Berge entlang.

Es war kälter geworden, und der Mond segelte hastig wie eine hochgeworfene Silbermünze über den Himmel und rief die wilden Wölfe, deren schauriges Antwortgeheule wie die klagenden Stimmen toter Seelen zu ihnen herab klangen. Die Sonne war ein goldener Riss direkt über dem Horizont weit jenseits der Ebene, und ließ die Windungen von Flüssen silbrig aufblitzen.

Nur Michael J. Simmons und Zekintha Föener unterhielten sich, denn sie kamen aus dem Höllenland und wussten es nicht besser. Doch auch ihre Worte klangen gedämpft. Bald würde Sonnunter sein, und das war die falsche Zeit, um Lärm zu machen. Sogar Fremdlinge konnten das spüren.

Jazz hatte einen leichten Trageschlitten gebaut, auf dem er ihre Ausrüstung – in Felle gewickelt – hinter sich her zog. Nur die MP hatte er sich umgehängt. Zek half ihm, wenn der Boden zu uneben wurde, aber zumeist kam er gut allein zurecht. Er hatte innerhalb von ein paar Tagen einiges an Kraft und Ausdauer zugelegt.

Ein paar Kilometer zuvor war die Hauptgruppe des Stammes zu ihnen gestoßen, und so waren sie jetzt endlich vollzählig. Das Felsmassiv, das ihnen als Zuflucht dienen sollte, lag nicht weit entfernt. Die Spitze war bereits sichtbar. Der Abendsonnenschein schimmerte darauf und ließ den Felsen wie einen alten, vergilbten Schädel wirken. Von hier an würden sie ihre Spuren sorgfältig verwischen und kein Anzeichen zurücklassen, dass sie diesen Weg genommen hatten. Sicher, die Wamphyri kannten ihre Verstecke recht gut, aber dennoch wollten sie ihre Gegenwart hier nicht gerade hinausposaunen.

Vor ein paar Minuten war Lardis neben Jazz und Zek aufgetaucht, um mit ihnen zu sprechen. »Jazz«, hatte er gesagt, »wenn der Stamm drinnen ist und sich eingerichtet hat, dann treffen wir uns am Haupteingang. Ich werde mit drei oder vier meiner Burschen dort auf dich warten, damit du uns zeigst, wie man mit deinen Waffen umgeht. Mit dieser Flammenmaschine und deinen Feuerwaffen.«

»Und den Handgranaten?« Jazz war einen Moment stehen geblieben und hatte sich den Schweiß von der Stirn gewischt.

»Äh, ach ja!« Lardis grinste. »Aber beim nächsten Mal jagen wir größere Fische, ja?« Das Grinsen verschwand sofort wieder von seinem Gesicht. »Hoffen wir, dass wir sie nicht verwenden müssen. Falls doch – unsere Armbrustbolzen mit den silbernen Spitzen, die spitzen Holzpflöcke, von denen wir viele in den Höhlen eingelagert haben, unsere Schwerter mit Silberschneiden, die ebenfalls in den Höhlen verborgen liegen, und das alles zusammen mit deinen Waffen ... falls es an der Zeit für uns ist, abzutreten, werden wir jedenfalls mit fliegenden Fahnen untergehen!«

Dann hatte sich Zek in die Unterhaltung eingemischt. »Das ist pessimistisches Geschwätz, Lardis! Quält dich irgendetwas? Wir haben nur noch einen Sonnunter vor uns, und vor dem nächsten treffen wir uns mit dem Herrn des westlichen Gartens. Das hast du deinem Volk versprochen. Bisher ist doch alles gut gegangen!«

Er hatte genickt. »Bislang, ja. Aber Lord Shaithis hat noch eine Rechnung mit uns offen. Bisher gab es keine Feindschaft zwischen uns, die Rollenverteilung war klar: Er war der Wolf und wir die Hühner. Aber jetzt hat das Huhn dem Wolf die Nase zerkratzt. Er ist nicht mehr nur neugierig oder hungrig, er ist wütend! Und außerdem ...« Er schloss den Mund und zuckte die Achseln.

»Lass uns das Schlimmste hören, Lardis«, hatte Jazz gebohrt. »Woran denkst du?«

Wieder hatte er mit den Achseln gezuckt. »Ich weiß nicht, vielleicht hat es nichts zu bedeuten. Oder es sind mehrere unbedeutende Dinge zusammengetroffen. Aber da hinten zieht beispielsweise ein Nebel auf, der mir nicht gefällt.« Er deutete in die Richtung, aus der sie gekommen waren. In einiger Entfernung rollte eine graue Nebelwand von den Hängen herab und legte sich dicht über die Waldebene. Die Schwaden quollen auf und schoben sich voran, schwappten wie eine träge Flut gegen den Fuß der Berge. »Die Wamphyri kennen sich mit dem Nebel aus ...«, hatte Lardis ihnen erklärt. »Wir sind nicht die Einzigen, die ihre Spuren verwischen ...«

»Aber die Sonne steht noch am Himmel«, hatte Jazz widersprochen.

»In kurzer Zeit ist Sonnunter!«, hatte Lardis gefaucht. »Über dem großen Pass ist es schon lange dunkel! Und hier unten werfen die Bäume verdammt lange Schatten!«

Zek wandte ein: »Glaubst du, dass Shaithis kommt? Ich habe nichts gespürt. Und ich suche ständig angestrengt nach fremden Gedanken!«

Lardis hatte tief durchgeatmet. Es klang wie ein Seufzer. »Das ist immerhin beruhigend. Und falls er kommt, muss er uns auf unserem eigenen Terrain angreifen.« Er blickte zu den Bergen hoch. »Aber die Wölfe haben geheult, und nun sind sie still. Auch unsere eigenen Tiere sind still. Seht Wolf einmal an, wie er sich verhält!«

Zeks großer Wolf lief ein paar Schritte entfernt nebenher, die Ohren flach angelegt; der Schwanz schleifte beinahe auf dem Boden. Gelegentlich blieb er stehen, blickte zurück und winselte leise.

Jazz und Zek blickten zuerst einander an, und dann wieder Lardis. »Aber vielleicht hat es nichts zu bedeuten«, hatte der Stammesführer gegrollt. Und unter weiterem Achselzucken war er nach vorn marschiert.

»Was hältst du davon?«, fragte Jazz nun Zek mit sanfter Stimme.

»Ich weiß nicht. Vielleicht hat er Recht. Eines steht fest: Je näher Sonnunter rückt, desto nervöser werden alle. Das ist nichts Neues. Die Traveller mögen keinen Nebel, und sie haben es auch nicht gern, wenn ihre Tiere unruhig werden. Das ist immer ein schlechtes Zeichen. Im Moment scheinen eben nur mehrere Dinge zusammenzutreffen, das ist alles.« Trotz ihrer beruhigenden Worte schauderte sie.

»Immer noch optimistisch?« Jazz lächelte, wenn auch unsicher.

»Weil ich eine Menge durchgemacht habe«, kam augenblicklich ihre Antwort. »Und weil das Ende jetzt so nahe ist.«

»Ja, du hast wirklich viel durchgemacht.« Jazz zog wieder an seinem Trageschlitten. »Und um es gleich zu erwähnen: Du hast mir noch nicht erzählt, wie es kam, dass Lady Karen dich laufen ließ.«

»Wir waren zu beschäftigt«, sagte sie achselzuckend. »Willst du es wirklich wissen?« Die Idee, ihm die Geschichte jetzt zu erzählen, gefiel ihr. Reden würde möglicherweise ihre Nerven ein wenig beruhigen.

»Ja, schon«, sagte Jazz. »Doch zuerst gibt es ein paar andere Dinge, über die ich mir Gedanken mache.«

»Ja?«

»Anachronismen«, erklärte er. »Die Zigeuner, die romanische Sprache hier, ihre Metallbearbeitung. Falls es nicht sehr vieles auf dieser Welt gibt, wovon ich noch nichts ahne – und das ist unwahrscheinlich, denn auf der einen Seite kannst du auf den Felsen Spiegeleier braten und auf der anderen wirst du zum Eisblock gefroren – sind die Dinge, die ich erwähnt habe, glatte Anachronismen. Diese Welt ist ... na ja, einfach primitiv! Aber es gibt Paradoxa. Einiges ist hier im Vergleich dazu direkt hochtechnisiert!«

Zek nickte. »Ich weiß«, sagte sie, »und ich habe mich auch damit beschäftigt. Wenn du dich mit den Travellern über ihre Geschichte und ihre Legenden so ausführlich unterhältst, wie ich das getan habe, findest du vielleicht eine Erklärung. So etwas Ähnliches zumindest. Uralten Erzählungen zufolge hat diese Welt nicht immer so ausgesehen wie jetzt. Die Legenden der Wamphyri bestätigen dies übrigens!«

Jazz war interessiert. »Erzähl weiter. Du redest, und ich spare mir die Luft zum Ziehen.«

»Nun, den Sagen der Traveller nach war dieser Planet einst überall fruchtbar, besaß Meere, Polkappen aus Eis, Dschungel und Steppen, alles genau wie unsere Erde. Und er wimmelte von Menschen. Oh ja, es gab auch damals vampirverseuchte Moore, aber die Ungeheuer waren nicht so aktiv wie heute. Die Menschen kannten und mieden sie; die Bewohner dieser Regionen legten Grenzzäune an und schickten regelmäßig Patrouillen aus. Nichts Lebendiges durfte aus den Sümpfen herauskommen. Vampirismus behandelte man wie die Tollwut, mit dem einzigen Unterschied, dass es keine Medikamente dagegen gab, falls man einmal angesteckt war. Es gab keine Heilung. Also pfählte man die Opfer, und ... aber den Rest kennst du ja.

Im Allgemeinen wurde man mit den Vampiren ganz gut fertig, und es gab noch keine Wamphyri. Die Menschen waren sesshaft. Sie hatten nichts zu befürchten und deshalb auch nichts, wovor sie davonlaufen mussten. Sie trieben vor allem Tauschhandel. Feudale Gesellschaftssysteme waren recht selten. Soweit ich das beurteilen kann, waren sie uns etwa drei- bis vierhundert Jahre hinterher.

Natürlich gab es auch größere Unterschiede; beispielsweise hatten sie das Schießpulver nicht erfunden. Und sie hatten wohl eine recht komplexe Sprache entwickelt, sich aber nicht die Mühe gemacht, sie niederzuschreiben, gleich ob auf Papier oder auf Tierhaut. Deshalb ist das Meiste durch mündliche Erzählungen weitergegeben worden, und das bedeutet auch, dass manch Unwichtiges total übertrieben, während manch Wichtiges vergessen wurde. Beispielsweise sind die Helden in den Mythen der Traveller alle Riesen, die Vampire zum Frühstück verspeisen und nicht einmal Bauchweh davon bekommen! Aber niemand weiß heute mehr, wer die Metallbearbeitung erfand oder die erste Armbrust baute.

So also war diese Welt beschaffen: ähnlich wie unsere, in der Entwicklung vielleicht drei- oder vierhundert Jahre zurück, in gewisser Weise aber weniger gefährlich, weniger kriegerisch, weniger laut. Die Menschen lebten mehr oder weniger in Frieden nebeneinander. Von kleineren territorialen Auseinandersetzungen abgesehen, bestellten sie in Ruhe ihre Felder, fingen Fische und Wild und verkauften ihre Überschüsse auf Märkten. Es gab auf unserer Erde sehr viel schlimmere Zeiten und Gegenden.

Oh, und vielleicht sollte ich noch erwähnen, dass es damals hier noch richtige Jahreszeiten gab, kürzere Tage und Nächte, alles ebenfalls ähnlich wie bei uns. Doch dann ...

Dann geschah etwas! Der Legende der Traveller nach, erschien am Nachthimmel eine ›Weiße Sonne‹. Sie raste so schnell über den Himmel, dass sie eine Feuerspur hinter sich her zog, streifte den Mond, schoss herab und flammte über die Oberfläche dieser Welt. Beim Stürzen schrumpfte sie, und schließlich glitt sie als Flammenkugel über die Länder, wie ein Stein, den man über das Wasser hüpfen lässt. Jenseits der Berge kam sie endlich zum Stillstand.

Aber obwohl diese ›Weiße Sonne‹ nunmehr klein war, besaß sie enorme magische Kräfte. Sie beschleunigte den Mond auf seiner Bahn, veränderte die Achse dieses Planeten und brachte damit große geologische Umwälzungen in Gang. Es entstanden diese Berge, die Eisländer im Norden, die Wüsten im Süden. Und mehr als tausend Jahre lang war die Oberfläche dieses Planeten eine wahre Hölle, verglichen mit der friedlichen Welt, die er einmal gewesen war.

Die Jahreszeiten existierten nicht mehr, aus dem Mond war ein fliegender Dämon geworden, der mit den Wölfen kommunizierte; von etwa zweihundertfünfzig Millionen Einwohnern blieben nur ein paar Tausend am Leben. Die Kontinente hatten sich verschoben, Berge waren versunken und neue hatten sich dafür aus dem Boden erhoben, die Überlebenden durchlebten einen Albtraum von Flutwellen, Stürmen, Vulkanausbrüchen – alles, was du dir nur ausdenken kannst. Doch sie lernten, damit zu leben, und schließlich beruhigte sich die Welt wieder. Allerdings gab es jetzt eine Sternseite und eine Sonnenseite.

Jahrhunderte vergingen. Wer weiß, wie viele? Aus den weiter entfernten Gegenden der Sonnenseite entstand eine riesige Wüste, und die Sternseite ... nun, du hast ja gesehen, was daraus geworden ist. Nur in den Bergen und dem Gebiet gleich südlich von ihnen auf der Sonnenseite konnte menschliches Leben, wie wir es kennen, überdauern. Dort hatten sich die Überlebenden angesiedelt und mit dem Wiederaufbau ihrer Zivilisation begonnen, wie lange es auch dauern und wie schwierig es auch sein mochte. Sie erinnerten sich an einige ihrer alten Fertigkeiten und gebrauchten sie zum Wiederaufbau. Und in den Sümpfen hatten sich die Vampire ungehindert vermehrt ...

Kundschafter zogen durch die Pässe über die Bergkette nach Norden und fanden die gefrorene Wüste dahinter. Regenstürme, die tobenden Elemente und Gletschereis hatten mächtige Felstürme aus den Bergflanken herausgewaschen, aber das Land war unfruchtbar. Menschen konnten dort nicht leben. Die Betonung liegt auf *Menschen* ...

Dann kam das Verhängnis – die Vampirplage!

Die Sümpfe quollen über von den verfluchten Biestern. Sie infizierten Menschen und Tiere in noch nie da gewesener Anzahl. Banden von vampirisierten Menschen überschwemmten die Sonnenseite, mordeten bei Nacht und verkrochen sich den langen Tag über in irgendwelchen Löchern. Die Naturkatastrophe hatte die Menschen bereits beinahe in die Barbarei zurückgeworfen, und nun dezimierte diese unnatürliche Katastrophe die Menschen noch weiter. Schließlich schlossen sich die Stämme zusammen und machten Jagd auf Vampire. Sie töteten sie wie einst in den alten Tagen, gebrauchten Pflock und Schwert und Feuer. Sie zerrten am Tage Vampire schreiend aus ihren Höhlen, pfählten sie und ließen sie von der Sonne verbrennen.

Schließlich war es auf der Sonnenseite wieder sicher, in den Sümpfen herrschte mehr oder weniger Ruhe und die Plage war unter Kontrolle. Die Überlebenden der vampirisierten Menschen waren über den Pass nach Norden geflohen. Sie kämpften untereinander um das Blut, das sie zum Leben benötigten. Sie entdeckten in den tiefen Höhlen der Sternseite die Troglodyten, von denen sie sich ernährten. Und als sie schließlich damit begannen, auf den hohen Felstürmen zu leben und Festungen zu erbauen, wurden aus ihnen die Lords der dunklen Hemisphäre. Sie nannten sich fortan Wamphyri, und mit menschlichem Verstand und der Gier und Überlebenskraft der Vampire ausgestattet, begannen sie bald mit ihren Überfällen auf die Sonnenseite. Die Menschen der Sonnenseite wurden zwangsläufig zu Nomaden, und so ist das auch heute noch.«

»Diese ›Weiße Sonne‹«, sagte Jazz nach einer Weile, »soll das die Sphäre sein – das Tor, oder wie man es auch nennen mag?«

Zek zuckte die Achseln. »Ich glaube schon. Es ist ein Raum-Zeit-Tor, oder? Nicht nur eine Verzerrung des Raumes, sondern auch eine Brücke durch die Zeit. Ist es möglich, dass diese Sphäre, die vor Tausenden von Jahren hier erschien, durch den Unfall bei Perchorsk erzeugt wurde, und dass seither die beiden Welten durch die Sphäre miteinander verbunden sind? Ein Anachronismus, wie du schon sagtest.«

»Aber was zum Teufel war – ist – es?« Jazz runzelte die Stirn. »In Perchorsk war die Rede von Schwarzen, Weißen und sogar Grauen Löchern. Und du hast gesagt, dass auch die Legenden der Wamphyri damit zusammenhängen, oder? Wie meinst du das?«

»Die Wamphyri erzählen, diese ›Weiße Sonne‹ sei aus der Hölle gekommen, oder jedenfalls von einem Ort, der für sie die Hölle darstellt. In anderen Worten, aus einer Welt, in der diese Mördersonne ein ständig vorhandener Faktor ist, ein regelmäßig wiederkehrender Albtraum, von dem es nur kurze Erholungspausen gibt. Bis vor ein paar Jahren lag die Sphäre, durch die wir hierher gekommen sind, noch unter der Erde begraben, und zwar tief in ihrem Einschlagkrater, so dass nur der oberste Teil sichtbar war und wie ein Suchscheinwerfer sein grelles weißes Licht gen Himmel sandte. Das weiß ich von Karen. Aber vor nur etwa zwei Jahren unserer Zeit ...«

»Zur Zeit des Perchorsk-Unfalls?« Jazz hatte sofort geschaltet.

»Ja.« Zek nickte. »Ich glaube schon. Jedenfalls hat sich zu dieser Zeit etwas geändert. Während die Sonne am Himmel stand und sich die Wamphyri in ihren Festungen verkrochen, erhob sich die Sphäre anscheinend von allein aus ihrem steinigen Bett im Krater und liegt seither so da, wie es jetzt der Fall ist.«

»Erklärung?«

Zek zuckte die Achseln. »Ich habe keine Ahnung. Aber die Wamphyri betrachteten es als Omen. Ihren Legenden nach bedeutet eine Änderung an der Sphäre, dem Eingang zum Höllenland, in jedem Fall große, umwälzende Änderungen auf dieser Welt. Änderungen, die sie selbst möglicherweise in Gang setzen könnten.«

»Beispielsweise?«

»Nun, sie haben schon eine ganze Weile darüber gesprochen, sich zusammenzuschließen und Krieg gegen den Herrn führen. Sollten sie ihre Streitigkeiten einmal lange genug vergessen, wäre es möglich, dass sie genau dies unternehmen. Und dazu kommt, dass auch *wir* gewisse Änderungen mit uns bringen. Als Chingiz Khuv damit begann, politische Gefangene und andere unerwünschte Personen im Rahmen der Experimente herüberzuschicken, haben die Wamphyri zum ersten Mal den Beweis erhalten, dass ihr bis dahin lediglich dem Bereich der Sage angehörendes Höllenland Wirklichkeit war!«

Jazz runzelte die Stirn und kaute auf seiner Unterlippe herum. »Irgendetwas stimmt da nicht«, sagte er. »Falls der uns bekannte Unfall in Perchorsk die ›Weiße Sonne‹ vor Tausenden von Jahren hier auf dieser Welt verursachte, warum sind wir dann nicht in jener Zeit aus dem Tor herausgekommen? Noch ein Anachronismus! Ein Raum-Zeit-Paradoxon? Glaube ich nicht. Da stimmt etwas nicht. Sag mir eines: Wie lange benutzen die Wamphyri bereits das Tor, um Vergehen zu bestrafen? Wann haben sie damit begonnen, ihre ›Verbrecher‹ durchzuschicken?«

Zek sah ihn scharf an. »Warum willst du das wissen?«

»Ist nur so 'ne Idee.«

»Nun, soweit ich weiß, haben sie das schon Tausende von Jahren lang gemacht.«

»Siehst du, was ich meine?« Jazz war sicher, auf etwas Wichtiges gestoßen zu sein. »Bis zu dem Zeitpunkt, als ich Perchorsk verließ, hatte es nur eine Hand voll solcher Zusammentreffen gegeben, und nur in einem Fall kam ein Mann herüber. Oder jedenfalls ein Geschöpf der Wamphyri.«

Zek schüttelte den Kopf. »Nein, das war ein echter Wamphyri, der Erbe von Lesk, dem Vielfraß: Klaus Desculu. Er hatte Lesks Ei in sich, aber statt zu versuchen, irgendeine Felsenburg für sich einzunehmen, versuchte er, seinen Vater zu stürzen. Der Vielfraß ist wahnsinnig; selbst die anderen Wamphyri akzeptieren die Tatsache, dass er für seine Handlungen nicht verantwortlich ist. Seine Gier ist riesengroß! Er bezwang Klaus, bestrafte ihn zehn Jahre lang, indem er ihn undenkbaren Grausamkeiten aussetzte, und dann verbannte er ihn und schickte ihn durch das Tor. Er war derjenige, den sie auf dem Laufsteg mit Flammenwerfern umbrachten. Aber ich begreife schon, was du gemeint hast! Falls die Wamphyri Jahrtausende lang ihre Missetäter durch das Tor herüberschickten, wo sind sie dann herausgekommen? Nicht in Perchorsk jedenfalls, denn diese Einrichtung existiert noch nicht sehr lange.«

»Und von unserer Seite aus ... zwischen Perchorsk und dieser Welt gibt es nur einen Ausgang – auf die Felsebene der Sternseite. In der anderen Richtung ... gibt es mehr als nur einen Ausgang auf unsere Welt? Einen in Perchorsk und wenigstens einen irgendwo anders?«

Nun wuchs auch bei Zek die Erregung. »Darüber habe ich mir auch schon Gedanken gemacht«, sagte sie. »Und das würde auch gewisse andere Dinge erklären, die mir – und auch dir – bereits aufgefallen sind.«

»Tatsächlich?«

Sie nickte. »Hast du dich nicht gefragt, wieso die Sprache der Traveller hier dem Rumänischen auf unserer Erde so ähnlich ist? Und warum sind die Zigeuner denen unserer Welt so ähnlich? Was weißt du über die Sprachen der Erde, Jazz? *Unserer* Erde natürlich! Offensichtlich verstehst du doch einiges von Linguistik.«

Er lächelte. »Was ich über die irdischen Sprachen weiß? Eine Menge, würde ich sagen. Ich habe Russisch studiert. Mein Vater war Russe. Ich habe auch die slawischen Sprachen und ein paar romanische studiert. Deshalb habe ich mich auch so schnell an den Dialekt der Traveller gewöhnt. Warum fragst du?«

»Nur so eine Idee von mir. Mein Geschick in Bezug auf Sprachen hängt natürlich mit der Telepathie zusammen. Fremdsprachen werden leicht verständlich, wenn man die Bedeutung den Gedanken des Anderen entnehmen kann. Aber der Zusammenhang zwischen der Sprache der Traveller und dem Rumänischen ist so offensichtlich, dass man kein Telepath sein muss, um das zu erkennen. Und die Wamphyri sprechen die gleiche Sprache ...«

Jazz begriff, worauf sie hinaus wollte, und sog zischend die Luft ein. »Die verbannten Wamphyri haben ihre Sprache in unsere Welt gebracht!«, sagte er. »Zek, das ist eine gute Idee! Aber ...«

»Ja?«

»Aber das würde bedeuten, dass die romanischen Sprachen auf dieser Welt entstanden sind und nicht bei uns!«

»Stimmt, so lautet meine Theorie. Ich bin auch der Meinung, dass einige dieser damaligen verbannten Wamphyri ihre Anhänger mitgenommen haben. Die Szgany, Zingaro, Zigeuner!«

»Dann hätten sich die romanischen Sprachen von Russland her ausgebreitet?« Jazz blickte zweifelnd drein. »Das kann ich eigentlich nicht glauben.«

»Wer hat etwas von Russland gesagt?«, gab sie zurück. »Falls es weitere Ausgänge in unserer Welt gibt, warum müssen sie dann ebenfalls in Russland liegen?«

»Rumänien?«

»Das nehme ich stark an. Frage dich mal Folgendes: Wo entstanden die Vampirlegenden unserer Erde? Wo liegen die Wurzeln?«

»Natürlich in Rumänien!«

»Und welches Land hat seine eigene Sprache fast unverändert erhalten, obwohl es von Ländern mit gänzlich anderen Sprachen und Sprachwurzeln umgeben liegt? Wie der finnisch-ungarischen Sprachfamilie oder den slawischen Sprachen?«

»Klar«, stimmte er nickend zu. »Periodischer Zulauf von Vampiren und deren Anhängern, stimmt's?«

»Es ist zumindest möglich.«

Jazz gefiel diese Theorie immer besser. »Je mehr ich darüber nachdenke, desto plausibler klingt es«, sagte er schließlich. »Die ersten Wamphyri wurden vor Tausenden von Jahren auf unsere Welt verbannt. Sie brachten ihre Gefolgsleute und ihre Sprache mit: die Zigeuner und ihre Sprache, die vom Lateinischen her kommt. Von Rumänien aus verbreiteten sie sich in die umliegenden Länder, doch Rumänien blieb ihre Wahlheimat. Obwohl das Land von Awaren, Magyaren, Goten und wer weiß wem noch erobert wurde, blieb die Sprache erhalten, denn wenn die Eroberer weiterzogen, kamen immer wieder neue Zwangsaussiedler aus dem Tor, und erneuerten die möglicherweise verwässerte Sprache, erhielten sie in ihrer Ursprünglichkeit. Und das würde auch die irdischen Vampirlegenden erklären. Aber nimmt man nicht an, die Zigeuner seien aus Indien eingewandert? Aus dem Korakaram-Gebirge?«

»Vielleicht wanderten die ersten Ankömmlinge *nach* Indien aus«, äußerte Zek eine neue Vermutung. »Warum nicht? Sie sind Wanderer, oder? Und von dort aus haben sie sich über die ganze alte Welt verbreitet. Ihren Drang zum Nomadendasein haben sie geerbt – nach Jahrhunderten unter der Bedrohung durch die Wamphyri ...«

»Um es also zusammenzufassen«, sagte Jazz abschließend, »es gibt möglicherweise ein anderes Tor irgendwo in Rumänien, durch das die Wamphyri Jahrtausende lang in unsere Welt überwechselten, ja?«

»Nie sehr viele auf einmal«, ergänzte sie. Aber im Großen und Ganzen scheint das zuzutreffen. Ich habe es nur angedeutet, und du bist selbst darauf gekommen. Es dürfte also plausibel sein.«

»Aber wieso weiß niemand etwas über das rumänische Tor? Ich meine, so etwas wie die leuchtende Sphäre ist doch wohl nicht zu übersehen, oder?«

»Frag mich was Leichteres«, antwortete Zek mit einem Achselzucken. »Aber nach dem zu schließen, was wir über den Herrn des westlichen Gartens wissen, muss er doch wohl Zugang zu unserer Welt haben! Und wenn er das Tor nach Perchorsk *nicht* benützt ...?«

»Welches Tor benützt er dann?«

»Genau!«

Nach kurzer Zeit sagte Jazz: »Wir sind ein ganzes Stück weit gekommen. Aber bevor mich das alles vollends verwirrt, lass uns das Thema wechseln.«

»Beispielsweise, warum Karen mich freiließ?«

»Wenn es dir nichts ausmacht?«

»Also gut. Das kam so: Ich weiß nicht, wie lange ich in Lady Karens Felsenburg lebte. An solchen Orten stumpft einen die ständige Angst ab und man verliert das Zeitgefühl. Auf jeden Fall habe ich sehr viel geschlafen – gewöhnlich vor Erschöpfung. An einem solchen Ort zu leben, laugt einen Menschen physisch und psychisch aus. Überall scheinen Bedrohungen zu lauern, auch wenn gar keine vorhanden sind, und trotz – oder vielleicht gerade wegen – der massiven Wände bekommt man Platzangst! Stundenlange Stille, dann plötzlich das Gelächter der Wamphyri, oder vielleicht schrille Todesschreie ... eine Felsenburg ist wie das Vorzimmer zur Hölle!

Und dennoch wurde mir Lady Karen zur Freundin, zumindest in dem Maße, wie das bei einem Vampir überhaupt möglich ist.

Vielleicht ist das gar nicht so schwer zu verstehen. Sie war ein einfaches Mädchen aus einem Traveller-Stamm gewesen. Sie erinnerte sich noch deutlich an ihr früheres Leben, war sich der Schrecken ihrer augenblicklichen Existenz nur zu bewusst, und blickte einer noch viel schrecklicheren Zukunft entgegen. In ihrem Stamm hatte sie als ausgesprochene Schönheit gegolten, und auch ich bilde mir ein, recht gut auszusehen. Sie empfand Kameradschaft mir gegenüber, und ich verspürte in etwa das Gleiche wie sie. Und sie wusste, dass es nicht mehr lang dauern würde, bis der Vampir in ihr die Oberhand gewann. Und danach ... würde sie nicht mehr Herrin ihrer eigenen Handlungen sein.

Wäre sie nicht eine Frau gewesen und hätte diese Felsenburg einem der Lords unterstanden, hätten die Dinge ganz anders gelegen. Dann würde ich mich jetzt nicht hier befinden und dir alles berichten. Kannst du dir vorstellen, wie es ist, Sex mit einem Wamphyri zu haben? ›Liebe‹ in der emotionalen Bedeutung des Wortes gibt es in ihrer Sprache nicht, aber was die physische Seite der Liebe angeht ...

Wenn ein Vampir eine Frau nimmt – nicht als Nahrung, sondern schlicht und einfach, um mit ihr Sex zu haben – na ja, schlicht und einfach ist es niemals. Was Liebende alles tun ... nichts ist tabu zwischen Liebenden! Aber zwischen einem Vampir und einer Frau, oder zwischen einem weiblichen Vampir und einem Mann? Sie sind so ungeheuer starke Kreaturen! Du kennst die alte Redensart von ›einem Schicksal, schlimmer als der Tod‹? Lächerlich, denn was könnte schlimmer sein als der Tod? Nun, ich glaube, ich muss es nicht erst beschreiben.

Aber Karen war ganz Frau, und ihre weiblichen Eigenschaften wurden durch den Parasiten in ihr noch verstärkt. Sie war nicht lesbisch, jedenfalls noch nicht. Gott weiß, was später aus ihr werden wird. Also glaube ich, dass ich für sie sexuell überhaupt nicht von Interesse war.

Aber ihre Untergebenen wollten mich haben!

Oh ja, sie hatten ihre eigenen Frauen, zumeist geraubte Frauen der Traveller, doch die waren dunkelhaarig – und ich blond. Meine Haarfarbe ist hier so selten, dass die meisten noch nie auch nur davon gehört haben. Und ich kam aus dem Höllenland!

Was noch besser war: Ich konnte Gedanken stehlen! Der echte Wamphyri, aus einem Vampirei geboren, besitzt in gewissem Maße auch die Fähigkeit der Telepathie, aber ihre untoten Kreaturen nicht. Es sei denn, die Eigenschaft wird hineingezüchtet oder ihnen von ihren Herren verliehen. In jedem Fall wäre ich ein äußerst wertvoller Besitz gewesen. Karen fürchtete, ihre positiven Eigenschaften vollständig zu verlieren, wenn der Vampir in ihr die volle Reife erlangte. Dann würde auch meine Zukunft sehr ungewiss sein und mir ein furchtbares Schicksal bevorstehen. Das wünschte sie nicht.

Eines Tages sagte sie zu mir: »Zekintha, es gibt etwas, das du für mich tun kannst. Und wenn es vollbracht ist und gut gelungen, werde ich dich zur Sonnenseite bringen und dort zurücklassen, damit dich die Traveller finden. Ich sehe keinen Grund, warum aus dir werden sollte, was aus mir wurde und was ich bald sein werde.«

»Du bietest mir an, von diesem Ort entkommen zu dürfen?«, fragte ich zurück. »Sag mir, was ich dafür tun muss!«

»Wir haben Waffenstillstand«, antwortete sie. »Die Wamphyri haben zu einer Zusammenkunft aufgerufen. Alle Lords mit ihren vielen Flaggen werden sich an einem Ort treffen, um festzustellen, ob es in einem bestimmten Fall ein gemeinsames Vorgehen geben wird. Nun – errätst du, wo dieses Treffen stattfinden soll?«

»Hier?«

»Allerdings: in Karens Felsenburg! Das schon allein – dass die Gespräche ausgerechnet hier stattfinden sollen – macht mich in höchstem Maße misstrauisch. Da droht Unheil! Ich werde also Vorbereitungen treffen müssen. Wie denkst du darüber?«

»Ich weiß über diese Lords nur das, was du mir erzählt hast, Lady Karen«, antwortete ich. »Das heißt, ich fürchte mich sehr vor ihnen. Ich glaube, wenn du die Lords Shaithis, Lesk, Lescula und die anderen in deine Festung hineinlässt, wirst du die Felsenburg verlieren! Unter allen Felsenburgen besitzt diese hier eine Schlüsselposition, Karen, und deshalb wollen alle sie besitzen.

Sie wissen außerdem, dass du mich hier hast und dass ich Magie besitze. So bin auch ich begehrt. Deine Kampfkreaturen wären auch interessant für sie, denn niemand hat so gute Kampfbestien gezüchtet wie Dramal. Das waren deine eigenen Worte. Doch wenn schon deine Festung und ich und auch deine Geschöpfe begehrenswert sind, um wie viel begehrenswerter bist *du* dann, Karen? Die würden sich gut mit dir amüsieren, mit Dir und mir, bevor sie uns töten! Aber du bist eine Wamphyri! Du würdest viel länger durchhalten und viel mehr leiden.«

»Bist du fertig?«

»Für den Augenblick.«

»Normalerweise würde ich dir in allen Punkten zustimmen, aber es gibt wie immer zwei Seiten an der gleichen Münze. Beispielsweise mag nichts Feindseliges in diesem Vorschlag liegen, jedenfalls jetzt noch nicht. Du wirst zugeben: Die Lords müssen sich treffen, sie benötigen einen neutralen Ort, an dem das Treffen stattfinden kann, ob dabei eine Einigung herauskommt oder nicht. Hier wäre der ideale Ort dafür, denn sie betrachten mich nicht als ihnen gleichwertig. Ich stelle ihnen sozusagen einen Verhandlungsraum. Dabei stelle ich natürlich Bedingungen, oder in anderen Worten: Ich treffe Vorkehrungen gegen möglichen Verrat. Zum einen müssen sie allein kommen, ohne ihre Unterführer. Und zum zweiten dürfen sie keine Kampfhandschuhe mitbringen.«

»Was?« Ich war überrascht. »Aber, Lady Karen, werden sie damit einverstanden sein? Willst du ihnen im Ernst befehlen, die Kampfhandschuhe zurückzulassen?«

»Zu ihrem eigenen Schutz!« Sie lächelte auf ihre halb menschliche Art. »Damit sie nicht in Versuchung geraten, aufeinander loszugehen, sollten die Gespräche ein wenig hitziger verlaufen. Also: keine Handschuhe – oder sie kommen nicht herein. Und sie werden das akzeptieren, weil sie erpicht darauf sind, diese Sache in Angriff zu nehmen. Und meine dritte Bedingung: Die Verhandlungen finden genau hier statt, in dieser Halle, und in jeder Ecke wird einer meiner Krieger stehen. Falls sie irgendeinen ... feindseligen Akt mir gegenüber unternehmen, werden meine Kreaturen sie angreifen. Denke daran, Zekintha, dass trotz aller Stärke und Macht ein Vampir eben doch aus Fleisch und Blut besteht. Unter entsprechenden Bedingungen wird auch er sterben. Und in der Magensäure eines Kriegers stirbt ein Vampir! Auf der anderen Seite wissen die Lords aber auch, dass ich von mir aus nichts Feindseliges unternehmen kann, denn dann hätten sie Grund und Recht, um mit mir auf die klassische Weise zu verfahren: mit dem Pflock durchs Herz, den Kopf ab und ein Bad in brennendem Öl! Ein Patt! Was meinst du jetzt?«

»Ich halte es immer noch für höchst gefährlich.«

»Ich auch, aber es ist beschlossene Sache. Und ich könnte sogar Vorteile daraus ziehen. Pass auf ...«

Durch die Fenster sah ich die dunklen Silhouetten der Berge, hinter denen der goldene Schein langsam verblasste. »Sonnenuntergang«, sagte ich. »Bald ...«

»Ja, bald schon«, wiederholte sie. »Wenn über den Bergen nur noch ein rosafarbener Rand erkennbar ist, werden sie in Bewegung kommen, satteln ihre Flugtiere und segeln von einer Felsenburg zur anderen. Sie landen auf den Plattformen weiter unten und kommen dann zu Fuß hierher hoch. Einer nach dem anderen, so werden sie eintreffen. An meiner Tafel wird es ... unkonventionelle Speisen geben: Wolfswelpe in Pfeffersauce, die Herzen von großen Fledermäusen, im eigenen Blut gekocht, von Gewürzen schwarz gefärbt, Wild aus den Grasländern der Sonnenseite, und dünnes Pilzhefebier von den Trogs. Nichts, was ihre Leidenschaften entflammen könnte.«

»Aber was planst du selbst, Karen?« Ich war neugierig, hatte wohl Angst, aber trotzdem ... »Ich weiß, dass du nichts mit diesen Lords zu tun haben willst. Ich weiß, dass du nicht so bist wie sie! Könntest du ihren Wunsch nicht einfach abschlagen? Gibt es keinen anderen passenden Ort für ihre Verhandlungen?«

»Die meisten dieser Männer«, antwortete sie nachdenklich, »haben noch nie einen Fuß in Dramals Felsenburg gesetzt – *meine* Burg. Ich glaube, als Dramal noch jung war, ist Shaithis ein paar Mal zu Besuch gekommen, weil sie gemeinsame Interessen hatten. Sie haben gern zu zweit bei Sonnunter auf der Sonnenseite Frauen gejagt. Es war vielleicht weniger Freundschaft als vielmehr Rivalität. Aber für die anderen ist es eine gute Gelegenheit, sich hier umzusehen. Mir ist völlig klar, dass sie besonders auf meine Verteidigungsanlagen achten werden, für den Fall, dass sie diese Festung eines Tages angreifen könnten. Doch lehne ich ihr Angebot ab, verweigere ich ihnen meine ... Gastfreundschaft, dann wird sie das erst recht provozieren und gegen mich aufbringen.«

»Du sagtest, es könne sogar ein Vorteil sein, wenn sie hierher kommen«, erinnerte ich sie. »Wie das?«

»Ach ja. Und das hat mit dir zu tun«, antwortete sie. »Wir Wamphyri haben auch unsere besonderen Fähigkeiten, Zekintha. Du stehst nicht allein; ich zum Beispiel kann ebenfalls die Gedanken anderer stehlen. Natürlich ist das eine Fähigkeit meines Vampirs, der sie mir verleiht. Das ist jedoch noch nicht voll entwickelt. Ich kann mir nicht sicher sein, ob ich mich nicht irre. Und über größere Entfernungen ist es ohnehin sinnlos. Und da ich eine Wamphyri bin, würden die anderen es merken, wenn ich in ihren Gedanken forsche. Unsere Vampire sind sich da zu ähnlich, weißt du? Aber *du* bist keine Wamphyri ...«

»Du meinst, ich soll ihre Gedanken belauschen? Und falls sie es bemerken?«

»Sie werden das sogar *erwarten!* Welchen Vorteil hätte ich sonst davon, eine Gedankenstehlerin zu besitzen? Aber wir verwenden einen Kunstgriff: Du schleichst dich in ihre Gedanken, ohne dass sie es merken, und selbst bist du abgeschirmt, damit sie deine Gedanken nicht stehlen können! Falls sie dich dennoch bemerken? Möglich, aber das stellt keine Gefahr dar, da sie es ja erwarten. Aber sie werden gar nicht wissen, dass du zugegen bist, denn wir werden dich an einem sicheren Ort verstecken! Und Folgendes möchte ich erfahren: Ihre Gedanken und Pläne in Bezug auf mich selbst; ob das Zusammentreffen hier echt ist oder nur ein Vorwand, um meine Schwächen herauszufinden;

ihre Schwächen, falls sie welche haben. Blicke bei einem nach dem anderen in seinen Geist und forsche nach. Nur in einem Fall brauchst du das nicht: bei Lesk dem Vielfraß. Sein Geist ist gestört. Selbst der Vampir in ihm ist wahnsinnig. Wie könnte man in einem solchen Verstand die Wahrheit erkennen? Er ist so sprunghaft, dass er in einem Augenblick nicht einmal mehr weiß, was er im vorhergehenden gedacht hat. Doch er hat eine starke Festung und besitzt unwahrscheinliche Kräfte, sonst hätten ihn die anderen längst erledigt.«

»Ich werde mein Möglichstes tun«, versprach ich ihr. »Aber du hast mir noch immer den Zweck dieser Verhandlungen verschwiegen. Was bringt sie alle hier zusammen?«

»Derjenige, den sie als den ›Herrn des westlichen Gartens‹ bezeichnen«, antwortete sie. »Sie fürchten ihn. Ihn und seine Alchimie, seine Magie. Und weil sie ihn fürchten, hassen sie ihn. Er wagt es, sich unter den westlichen Gipfeln niederzulassen, in der Mitte zwischen Sternseite und Sonnenseite, ohne auch nur um Erlaubnis zu bitten! Er beherbergt auch noch Traveller und unterweist sie in einige fremdartige Künste! Und jene, die es wagen, sich gegen ihn zu stellen ... ach, sie könnten so einiges erzählen!«

»Und wehrst auch du dich gegen diesen Herrn?«, fragte ich.

Sie blickte mich mit diesen blutfarbenen Augen an. »Wir werden sehen«, sagte sie bedächtig, »wir werden sehen. Jetzt geh und ruhe deinen Verstand aus. Bereite dich vor. Wenn die Zeit gekommen ist, hole ich dich ab und zeige dir dein Versteck. Arbeite gut für mich, und ich werde mein Versprechen halten.«

»Ich werde dich nicht enttäuschen«, sagte ich und ging in meinen Schlafraum.

Doch schlafen konnte ich noch lange nicht ...

Dann war die Sonne untergegangen. Ich fuhr aus einem unruhigen Schlaf hoch und hörte Karens Schritte. Sie war offensichtlich in Eile.

»Komm!«, sagte sie und nahm meine Hand. Wieder lag diese

unnatürliche Kraft in ihren Fingern, als sie mich vom Bett hochzog. »Zieh dich an. Schnell! Der Erste kommt!«

Vampirisierte Traveller, Sklaven, ausgesaugt, bis sie starben, und dann als Untote mit veränderter Physiologie, Organen und Körperfunktionen wiedergeboren, hatten den großen Saal vorbereitet. Die Tafel war gedeckt, und an ein Ende hatte man den mächtigen Knochenthron Dramals geschoben. Von seinem kleinen Podest aus beherrschte er die gesamte Tafel.

»Dort liegt dein Versteck«, sagte Karen. »Du verbirgst dich – *innerhalb* von Dramals großem Thronsessel!«

Ich hätte gern protestiert, aber sie ahnte meine Einwände und schnitt mir mit einer herrischen Handbewegung das Wort ab. »*Beeil dich!* Niemand wird auf Dramals Thron sitzen! Ich stelle ihn auf, um den Lord, meinen Vater und Meister, dessen Ei ich in mir trage, zu ehren! *Ha!* Jedenfalls sollen sie das annehmen. Ich selbst werde auf dem großen Stuhl am anderen Ende der Tafel sitzen. Und sie sitzen zwischen uns in der Falle. Zumindest ihre Gedanken. Es ist zu spät, um andere Vorkehrungen zu treffen. Ich will auch keinen Einwand hören! Führe deinen Teil des Planes durch, oder geh hinaus! Aber hüte dich! Wer nicht für mich ist, ist gegen mich. Suche dir ein neues Zimmer in der Festung, oder fliehe, falls du kannst. Ich werde dich nicht daran hindern – aber für die anderen kann ich die Hand nicht ins Feuer legen.«

Sie wusste, dass ich nicht nein sagen konnte; der Vampir rührte sich in ihr, von ihrer Erregung angestachelt. Es wäre sinnlos und sogar gefährlich gewesen, sie von ihrem Vorhaben abbringen zu wollen. Also ging ich zum Knochenthron.

Mein Gott, was für ein monströses Ding das war!

Es war, wie ich schon sagte, der Kieferknochen eines Riesentieres. Die etwa einen Meter fünfzig langen Eckzähne bildeten bequeme Griffe, so dass derjenige, der auf dem Thron saß, die Arme gemütlich auf die Kieferknochen legen konnte, dort, wo sich normalerweise die Backenzähne befunden hätten. Dahinter krümmten sich die Knochen im Bogen hoch zum Kiefergelenk.

Der Oberkiefer fehlte natürlich. Der flache aufsteigende Teil des Kiefers bildete die Rückenlehne. Dort lag sonst immer ein riesiges Kissen mit roten Fransen. Nach unten zu standen an allen vier Ecken Knochenauswüchse heraus und bildeten die Füße des Thronsessels. Alles war kunstvoll mit komplizierten Schnitzmustern verziert, so wie in manchen Ländern der Erde die Stoßzähne von Elefanten zu Kunstwerken geschnitzt werden.

So stand dieser Überrest eines Tieres, dessen wahre Größe ich mir nicht vorzustellen vermochte, auf seinem Podest vor der Tafel, und unter diesem Podest saß ich. Ich musste von hinten her hineinkriechen, wo sich einst die Luftröhre des Riesentieres befunden haben mochte, und drinnen fand ich ein großes Kissen vor, auf dem ich es mir bequem machen konnte – hoch aufgerichtet wie in einem Kanu, damit mein Kopf etwas herausragte. Er befand sich direkt unter dem eigentlichen Sitz, und durch die durchbrochenen Schnitzwerke konnte ich mich im Raum umblicken. Karen hatte das hinderliche Sitzkissen entfernt, damit ich jedes Gesicht an der Tafel erkennen konnte, ohne selbst gesehen zu werden. Es ist viel leichter, die Gedanken eines Menschen zu lesen, wenn man sein Gesicht zu sehen vermag.

Und so begannen sie einzutrudeln.

Bei jedem las ich den Namen in Karens Gedanken. Sie verständigten sich alle kurz telepathisch, auf die typische Art der Wamphyri, wobei sie nicht nur ihre Namen nannten, sondern auch prahlten.

Der Erste war Grigis, der Geringste unter den Wamphyri-Lords. Offensichtlich hatten sie ihn vorgeschickt, um die Lage zu sondieren.

Grigis ist hier, schickte er seine Gedanken voraus, als er die Treppe heraufkam. *Die Wamphyri gaben mir die Ehre, der Erste zu sein, Lady. Ich stehe so hoch im Rang, dass ich zum Erwählten wurde, Eure Felsenburg als Erster zu betreten. Doch was muss ich hier erblicken? In allen Ecken stehen Krieger. Welch Empfang ist dies?*

»Zu Eurem Schutz, Grigis«, erklärte sie ihm. »Und zu meinem

natürlich. Wenn sich Geister wie wir treffen, mag es durchaus zum Streit kommen. Doch im Augenblick mögt Ihr getrost die Krieger als Dekorationsstücke betrachten, als Symbol der Macht der Wamphyri. Sie haben keine besonderen Anweisungen. Solange wir beiden und die anderen Lords sich ruhig verhalten, werden auch sie ruhig bleiben. Und nun seid willkommen in meiner Behausung. Ihr habt sie aus freien Stücken betreten, und ich heiße Euch aus freien Stücken willkommen. Nehmt Platz! Die anderen werden nicht lange auf sich warten lassen.«

Grigis schritt an ein Fenster, beugte sich hinaus und gab ein Zeichen. Es war natürlich dunkel, aber Dunkelheit bedeutet einem Vampir ja nichts. In Karens Geist sah ich, wie sich ein zweites Flugtier aus seinen trägen Kreisen am Himmel löste, herabstieß und auf die Flugplattformen zuhielt. Dann setzte sich Grigis an die eine Seite der Tafel, ein gutes Stück vom Knochenthron entfernt. Sicher, Grigis war ein echter Wamphyri und beeindruckend genug, doch unter den Lords stellte er nichts Besonderes dar. So wäre es auch sinnlos, ihn näher zu beschreiben.

Und so trafen sie einer nach dem anderen ein: kleinere Lichter, aber hier und da auch ein wirklich Mächtiger. Menor Malmzahn war einer davon. Sein Wappen war ein zerplitterter Schädel zwischen mächtigen, mit spitzen Zähnen bewehrten Kiefern. Dem Vernehmen nach war Menor unempfindlich gegen Kneblasch und Silber. Er pflegte diese Gifte in einer kleinen Metallschachtel mit sich zu führen und damit gelegentlich sein Essen zu würzen. Sein Kopf und seine Kiefer waren selbst für einen der Lords noch ungewöhnlich groß.

Nachdem etwa ein Dutzend von ihnen anwesend, begrüßt und an die Tafel gebeten waren, tauchten allmählich die Mächtigsten unter ihnen auf. Fess Ferenc, mehr als zweieinhalb Meter groß, benötigte keinen Kampfhandschuh, denn seine Hände waren scharfe Klauen. Belath, dessen Augen immer zu Schlitzen zusammengezogen waren, war dafür bekannt, dass er niemals lächelte. Sein Verstand schien umwölkt, und keiner wusste je, was er dachte und fühlte. Volse Pinescu ließ mit voller Absicht große Schwären auf seinem Gesicht und Körper wachsen, um noch ekelhafter und monströser zu wirken. Lesk der Vielfraß kam an, von dem man behauptete, er habe in einem Anflug geistiger Umnachtung eine seiner eigenen Kampfkreaturen zum Zweikampf auf Leben und Tod aufgefordert! Die Legende berichtet, er habe die Kampfbestie umklammert, um ihre große Reichweite zu unterlaufen, und sich dann buchstäblich bis zu ihrem Gehirn durchgefressen, so dass der Kampfkoloss bewegungsunfähig wurde. Doch in einem Reflex hätten angeblich die riesigen Kiefer des Kriegers zugeschnappt und ihm ein Auge und die Hälfte seines Gesichtes weggebissen. Jetzt trug er einen großen Lederflicken, den er sich auf dem Gesicht festgenäht hatte. Um das Auge zu ersetzen, hatte er ein Neues auf seiner linken Schulter wachsen lassen, das er stets unverhüllt trug. Lesk setzte sich auf die rechte Seite, gleich neben mein Versteck unter dem Knochenthron, was bei mir ein heftiges Zittern auslöste. Doch ich bekam es zum Glück unter Kontrolle.

Als Vorletzter kam Lascula Langzahn an, der seine gestaltwandlerischen Fähigkeiten derart geschult hatte, dass er bewusst von einem Moment zum anderen seine Kiefer und Zähne verlängern konnte – was er auch häufig tat, so wie ein anderer sich über das Kinn streicht. Und der Letzte schließlich war Shaithis, dessen Felsenburg uneinnehmbar war. Die Legenden, die sich um ihn rankten, mussten nicht erst ausgeschmückt werden. Sein Verstand war eisig kalt, jede Bewegung, jede kleinste Regung an ihm war genau kalkuliert. Die Wamphyri hatten untereinander nicht viel Respekt, doch Shaithis wurde von allen respektiert ...

Ich hatte mich über Karens Kleidung gewundert. In ihrer Lage, als unwillige Gastgeberin dieser Ungeheuer, hätte ich mich mit einem Schutzwall an Kleidung umgeben, vielleicht sogar eine Rüstung angelegt. Sie jedoch trug einen Hauch von Kleid, dessen schimmernd weißes Material sich so an ihren Körper schmiegte, dass nahezu alles sichtbar wurde. Die linke Brust – und sie hat wunderschöne Brüste! – blieb unbedeckt, genau wie ihre rechte Pobacke. Da sie keine Unterwäsche trug, war die Wirkung absolut umwerfend! Doch während die Lords einer nach dem anderen eingetroffen waren, wurde mir immer klarer, was sie damit bezweckte. Statt sich überall aufmerksam umzusehen und miteinander eingehend zu reden, galten alle Blicke nur ihr, und alle konzentrierten sich ausschließlich auf sie.

Denke daran: Das waren alles Männer, bevor sie zu Wamphyri wurden! Ihre Leidenschaften, ihre Gier, waren die von Männern, durch ihre Vampire nur noch um ein Vielfaches gesteigert. Allesamt waren sie scharf auf Karen, was ihre Hirne von gefährlichen Intrigen abhielt. Ich werde nicht erwähnen, was ich in den Gedanken vampirbesessener Hirne las. Im Falle von Lesk will ich nicht einmal mehr daran *denken!*

Und so hatten sie sich versammelt, und nach ein paar Belanglosigkeiten und dem Essen, das sie für ihre Besucher bereitet hatte, begannen die Verhandlungen ...

ZEHNTES KAPITEL

Mittlerweile erhob sich die Felskuppel der Zuflucht etwa sechzig Meter hoch über ihnen. Mit ihrem fleckigen Ockerton wirkte sie wie ein Felsbrocken aus Sandstein, der auf der Seite in einem mit Kiefern, Eichen und Dornsträuchern bewachsenen Hang steckte. Über ihnen lag der dichte Wald unter den kahlen Felsen bereits im Dunkel, während unterhalb ihrer Position die Bäume in der Ferne in einem fahlen Dunstschleier verschwammen. Vom Süden her kam noch ein schwacher Lichtschimmer wie von der ersten Morgendämmerung. Allerdings war es nicht Morgen, sondern Sonnenuntergang.

Während er zu dem dräuenden Felsen aufblickte, fragte Jazz Zek: »Bist du schon einmal hier gewesen?«

»Nein, ich habe nur davon gehört«, antwortete sie. »Der Felsen ist durchlöchert wie ein Riesenkäse, den man auf dem Regal vergessen hat. In den vielen Röhren und Höhlen ist genug Platz für drei Stämme von der Größe dieses einen. Man könnte dort eine kleine Armee verstecken!« Sie blieben fünfzig Meter vor dem Unterteil des Felsens stehen. Nun sahen sie unter einem Überhang den großen Höhleneingang, in den die Traveller hineinströmten und ihre Trageschlitten, die Wagen, die Wölfe und alles andere mitnahmen. Nach kurzer Zeit wurden weiter oben im Felsen orange Lichtschimmer sichtbar, die jedoch schnell abgedeckt wurden, um die Bewohner der Höhlen nicht zu verraten. Immer noch standen Zek und Jazz draußen in der tiefer werdenden Dämmerung und sahen zu, wie sich die letzten Traveller hineinbegaben.

Lardis kam herbei und sprach sie an: »Gebt ihnen noch ein wenig Zeit, um sich ihre Lagerplätze zu suchen und sich niederzulassen, und dann treffen wir uns im großen Raum hinter dem Haupteingang, den wir den großen Saal nennen. Aber falls euch etwas an frischer Luft liegt, atmet ihr am besten jetzt und hier draußen tief durch. Drinnen wird es später ziemlich stark verqualmt sein. Wenn die Sonne wieder aufgeht, werdet ihr eure Augäpfel für ein paar Atemzüge frischer Bergluft geben!« Er nahm die Stangen von Jazz' Trageschlitten in die kräftigen Fäuste. »Ich bringe das derweil hinein!«

»Warte!«, sagte Jazz schnell. Er fasste in eines der äußeren Bündel hinein und holte zwei volle Magazine für seine MP heraus. »Vorsichtshalber«, kommentierte er.

Lardis sparte sich jeden Kommentar und schritt zum Eingang hinüber, in dem jetzt flackernder Feuerschein sichtbar war.

»Lardis hat Recht«, sagte Zek. »Sie brauchen eine Weile, um sich einzurichten und die Verteidigungsanlagen zu besetzen. Klettern wir doch dort hinten auf den Felsen! Von dort aus müsste der Rand der Sonne gerade noch sichtbar sein. Mir gefällt es ganz und gar nicht, wenn die Sonne untergeht.«

»Bist du sicher, dass du nicht etwas herauszögern willst?«, fragte Jazz. »Zek, ich werde nicht auf deinem Versprechen beharren. Ich meine, ich weiß ja, dass du Recht hast: Dies ist nicht unsere Welt, und so rücken wir automatisch enger zusammen.«

Sie hängte sich bei ihm ein. »Ich glaube«, sie warf den Kopf in den Nacken und brachte ihre Haare zum Fliegen, »dass ich mich in jeder Welt zu dir hingezogen fühlen würde. Nein, es ist einfach nur so ein Gefühl ... Diese Höhlen wirken auf mich nicht gerade einladend. Schau, sogar Wolf zieht es vor, hier bei uns draußen zu bleiben.«

Der große Wolf trabte hinter ihnen her unter den Bäumen am Fuß des steil ansteigenden Felsens entlang.

Eine Viertelstunde stiegen sie bergan, bis Jazz sagte: »Ich schätze, jetzt sind wir weit genug gelaufen. Wir müssen ja auch wieder hinuntergehen. Dieser Fels ist größer als er aussieht. Vielleicht klettern wir ja einmal bei Tageslicht ganz nach oben hinauf.«

Sie entdeckten einen Felsvorsprung und setzten sich darauf. Jazz legte den Arm um Zek. Sie lehnte mit dem Rücken am Felsen und seufzte müde: »Warum nennt man dich Jazz?«

»Mein mittlerer Name lautet Jason«, antwortete er. »Und ich

hasse ihn! Mach bitte keine schlauen Bemerkungen über das Goldene Vließ, ja?«

»Jason ist einer der Helden meiner Heimat«, beruhigte sie ihn. »Ich würde keine Scherze über ihn machen.«

Wolf saß zu ihren Füßen und winselte leise. Zek schmiegte sich noch enger an Jazz, der das Gefühl genoss, ihren Körper und ihre Wärme so unmittelbar zu spüren, und so sagte er: »Zek, erzähle jetzt doch deine Geschichte zu Ende!« Es klang ein wenig abrupt, aber ihm war bewusst, dass sie sich jetzt und in dieser Lage nichts Intimeres leisten durften. Nicht hier oben, bei Anbruch des Sonnunter.

»Was?«, fuhr sie überrascht auf. Dann erriet oder las sie seine Gedanken. »Ach, das! Na ja, ich war sowieso beinahe am Ende angelangt. Aber ... wo war ich denn stehen geblieben?«

Jazz ärgerte sich zwar über sich selbst, aber er sagte es ihr ...

»Ich werde mich kurz fassen«, sagte Zek. Sie klang ein wenig abgekühlt. »Und dann gehen wir hinunter zu den anderen.

Die Lords der Wamphyri befanden sich also in Karens Felsenburg, um über den Herrn des westlichen Gartens zu reden. Aber Karen hatte Recht gehabt: Es war nicht nur der Herr, für den sie sich interessierten. Sie wollten Karens Feste. Und Shaithis wollte auch mich haben, meiner Magie wegen, und – wer weiß, wozu noch. Der Rest der Bande würde hinterher um Karen würfeln. Der Gewinner dürfte sie ... gebrauchen, und hinterher würde man sie verbrennen. Sie fürchteten, ihr Vampir könne eine ›Mutter‹ sein! Und sollte dies der Fall sein, könnte sie alle Bewohner ihrer gesamten Felsenburg mit Hilfe der Eier zu Vampiren machen. Mit diesen nur ihr selbst hörigen ›Kindern‹ wäre sie kaum mehr aufzuhalten. Also musste sie weg, vernichtet werden, bevor es so weit kam.

Und was ihre Felsenburg betraf, so waren Fess Ferenc, Volse Pinescu und einer der weniger bedeutsamen Lords allesamt entschlossen, eigene Eier daranzugeben, damit ihre Nachkommen darum kämpfen und der Sieger zum Herrn von Karens Felsenburg werden konnte. Die Verlierer wären immer noch ihren ›Vätern‹ hörig, und sicherlich würden für sie neue Gelegenheiten kommen, sich auszuzeichnen und eigene Festungen zu gewinnen. Als ›Kind‹ eines Vampirlords zu leben, ist übrigens alles andere als einfach! Nichts genießt ein Lord mehr, als das eigene Kind – gleich ob männlich oder weiblich – zu misshandeln. Das Blut des eigenen Abkömmlings, und besonders des Vampirs in dessen Inneren, ist die größte Köstlichkeit überhaupt! Wäre Dramal nicht umgekommen, hätte er Karen das Leben zur immer währenden Hölle gemacht!

Wenn sie Karen und ihre Besitztümer mit Gewalt nehmen wollten, musste das geschehen, bevor ihr Vampir die volle Reife erreichte und sie ganz übernahm. Dieses Wesen entwickelt sich normalerweise recht langsam, aber die Lords wussten aus eigener Erfahrung, dass die weibliche Spezies besonders hartnäckig am Leben hing, sobald sie einmal voll erblüht war. Also würde man Karen auffordern, am Angriff der Lords auf den Herrn teilzunehmen. Man konnte ihre Kämpfer als Kanonenfutter benützen, und wenn die Schlacht vorüber war, würde man ihre restliche Streitmacht auslöschen und Karen selbst gefangen nehmen.

Sollte sie sich weigern, an dem Angriff teilzunehmen, würde man das als Zurückweisung und sogar als Beleidigung betrachten. Das würde einen Angriff auf ihren Felsen rechtfertigen. Doch man hoffte, sie werde sich am Angriff beteiligen, denn dann konnte man anschließend ihre Felsenburg unbeschädigt – herrenlos – einnehmen.

All das entnahm ich bruchstücksweise den Gedanken von Shaithis, Volse, Menor Malmzahn und ein oder zwei anderen. Ich wagte nicht, zu lange in ihren Gedanken zu verweilen, damit sie mich nicht bemerkten. Aber Karen hatte Recht gehabt: Da sie sich gegen ihr Eindringen in ihre Gedanken zu schützen suchten, waren sie mir gegenüber völlig wehrlos. Ich kann dir sagen, Jazz, es gibt wahrlich viele Höllen! Wenn eine davon jener Ort ist, vor dem man uns als Kinder warnte, dann müssen die anderen in den Gedanken der Wamphyri-Lords schlummern! Der Unterschied ist jedenfalls nicht gerade groß ...

Jedenfalls war schließlich die Zusammenkunft vorüber, und Shaithis hielt die Abschlußrede. Ich werde versuchen, sie für dich wiederzugeben, soweit ich mich daran erinnern kann. Er sagte in etwa:

»Lords und Lady, mit einer einzigen Ausnahme, nämlich der Zustimmung unserer bezaubernden Gastgeberin, die, wie sie mir versicherte, die Angelegenheit einer sorgfältigen Prüfung unterziehen wird, haben wir uns auf eine Strafexpedition gegen den Herrn geeinigt. Die Stunde des Aufbruchs gegen unseren mächtigen gemeinsamen Feind steht noch nicht fest, aber alle sollten sich bereits darauf vorbereiten. Wir haben stichhaltige Gründe, ihn loswerden zu wollen. Ganz abgesehen von der Tatsache, dass er sich auf unserem Grund und Boden niedergelassen hat – ich glaube doch, wir sind uns darüber einig, dass wir die Berge als unser eigenes Land betrachten? – und auch davon abgesehen, dass er Traveller beherbergt und schützt, die doch unsere rechtmäßige Beute sind, haben einige von uns auch sehr persönliche Gründe, gegen ihn vorgehen zu wollen.

Vor einigen hundert Nächten sandte Lesk einen Parlamentär aus, um mit dem Herrn zu verhandeln. Wirklich nur, um zu verhandeln, wie uns Lesk selbst versicherte, der Offenste unter den Lords. Der Mann kehrte nicht zurück. Zurecht erbost sandte Lesk daraufhin einen Krieger aus, um den Herrn auf die Probe zu stellen. Der Herr sammelte die Strahlen der kurz zuvor gesunkenen Sonne in einem Spiegel und verbrannte Lesks Krieger damit zu Asche! Lesk, dessen Vorgehen sich manchmal etwas von dem anderer – weniger empfindsamer – Geister unterscheidet, sandte einen zweiten Krieger, jedoch nicht direkt gegen den Herrn. Denn Lesk hatte sich in den Kopf gesetzt, dass der Herr aus dem Höllenland gekommen sei, um uns auszuspionieren und möglicherweise eine Invasion in großem Stil vorzubereiten. Das wurde zur fixen Idee, von deren Logik er überzeugt war, vor allem, als sich nach Lesks ursprünglichem

Angriff die Tor-Sphäre zum Höllenland plötzlich bis auf die Höhe des Kraterrandes erhob! Sicherlich ein Vorspiel zu dem von ihm befürchteten Angriff? Und so schickte er den zweiten Krieger direkt durch das Tor in das Höllenland selbst, um den Möchtegern-Invasoren etwas von der Macht der Wamphyri zu zeigen. Selbstverständlich kehrte auch dieser zweite Krieger nicht zurück. Aber von dort ist ja ohnehin noch niemand zurückgekehrt.

Volse Pinescu, der von Lesks Verlusten vernommen hatte, entschloss sich zu einem subtileren Angriff: Er aktivierte und bewaffnete hundert Trogs, die den Garten des Herrn angreifen sollten. Sie sollten plündern, brandschatzen, die Frauen vergewaltigen und die Männer umbringen. Diese Trogs waren raue Gesellen, und obgleich sie keinen Wamphyri in sich hatten, mochten sie die Sonne nicht, doch ihre Strahlen konnten ihnen nichts anhaben. Die bösartigen Spiegel des Herrn würden ihm gegen die Trogs nichts nutzen! Doch ... auch sie kehrten nicht zurück. Offensichtlich waren sie übergelaufen: Der Herr hatte Höhlen gefunden, in denen sie wohnen konnten, und hatte sie unter seinen Schutz gestellt!

Grigis von Grigis, der Sohn des legendären Grigis, des Schlächters, gedachte, seine Felsenburg mit den Schätzen des Herrn zu bereichern, ihm vielleicht sogar den gesamten Garten abzunehmen, von dem aus man einen weiten Blick über die Berge und das Vorland genießt, wie wir alle wissen. Möglicherweise glaubte Grigis auch, er könne noch mehr erreichen, nämlich etwas über die Magie und die verfluchten Maschinen des Herrn in Erfahrung zu bringen und damit seinen ... Status? ... oder nennen wir es seine *Lebensumstände* erheblich zu verbessern? In der Tat: Mit den Waffen des Herrn zur Hand könnte Grigis möglicherweise uns alle beherrschen! Doch wir kennen Grigis ja und wissen, dass er so etwas niemals beabsichtigen würde! Wie schade, dass er bei diesem Versuch drei kräftige Krieger, hundertfünfzig Trogs und Traveller und zwei seiner Offiziere verlor! Seine Festung ist nunmehr kaum noch zu bewirtschaften. Lasst uns ehrlich zueinander sein: Ohne die Gefahr für uns alle, die vom Herrn des westlichen Gartens ausgeht, wäre wohl längst einer von uns auf die Idee gekommen, Grigis auch um den letzten Besitz zu bringen ...

Mein eigenes Interesse an der Angelegenheit ist leicht zu erklären: Ich interessiere mich einfach dafür! Nennt es Neugier! Ich möchte wissen, wer dieser Herr ist. Ein Wamphyri – vielleicht eine neue Art, die in den Mooren entstanden ist? Aber wie kam er dann an all sein Wissen über Waffen, Maschinen, über schmutzige Magie? Und warum missachtet er uns auf diese Weise?

Hier ist nun unser Plan: Wir *beobachten* den Herrn! Nichts weiter als das – im Augenblick jedenfalls. In der Dunkelheit des Sonnunter versteckt, gleich, wie viele Sonnunter wir benötigen, um brauchbare Resultate zu erzielen, beobachten wir ihn. Wie? Durch die Augen der uns hörigen Kreaturen. Durch große und kleine Fledermäuse aus der Luft. Von unten her werden Trogs in den Schatten kauern und ihn observieren. Und jede seiner Handlungen wird aus ihrer aller Gedanken direkt in unsere gesandt, so dass wir selbst ihn ständig unter Beobachtung haben!

Die Ausdehnung seines Gartens, dessen andere Bewohner, die Lage der verfluchten Spiegel, der übrigen Waffen, die Anzahl seiner Verteidiger – alles müssen wir in Erfahrung bringen. Dann erst können wir unsere Streitkräfte vereinigen und einen Angriff wagen.«

»Und dann schlagt ihr zu?« Das kam von Karen. Aller Blicke waren mit einem Mal auf sie gerichtet, wie sie so leicht bekleidet am Kopf der Tafel gegenüber dem Knochenthron saß.

Shaithis verschlang sie förmlich mit seinem Blick. »Dann schlagen *wir* zu, Lady! Das wolltet Ihr doch sicherlich sagen! Außer Ihr habt Euch entschlossen, nicht mit uns zu ziehen?«

Sie lächelte ihn lediglich an und sagte: »Keine Angst, Lord Shaithis, ich werde dort sein.«

Ein Seufzer der Erleichterung durchlief die Reihe der anderen. Man hatte Karen, wo man sie haben wollte. So erschien es ihnen jedenfalls.

Dann nahmen sie Abschied; Shaithis und Lascula zuerst, dann Lesk, Volse, Belath, Fess, Menor und all die anderen. Grigis war der Letzte. Genau in umgekehrter Reihenfolge wie bei ihrer Ankunft. Der Geringste unter ihnen musste bis zuletzt warten. Und als Karen mich endlich aus meinem Versteck kommen ließ, wimmelte es am Himmel von ihnen. Sie flogen in weiten Kreisen aufwärts und verdeckten die Sterne – Unheil verkündende Wolken in der natürlichen Dunkelheit der Nacht. So kehrte jeder in seine private Hölle zurück.

Ich wandte mich ihr zu. »Lady Karen, du darfst nicht mit ihnen gegen den Herrn ziehen!« Und dann berichtete ich ihr alles, was ich in den Gedanken der anderen gehört hatte.

Sie lächelte auf eine sanfte, wissende Weise. »Aber hast du mir nicht zugehört? Ich sagte doch, ich werde dort sein.«

»Aber ...«

»Schweig! Es klingt fast so, als liege dir wirklich etwas an mir! Ja, und möglicherweise liegt mir auch etwas an dir. Also bereite deine Waffen und alles andere vor, was du mitnehmen möchtest. Wenn du etwas benötigst, bitte darum. Nimm alles, was ich dir zu bieten vermag. Ich werde jetzt ruhen. Wenn ich erwache, vor Sonnenaufgang natürlich, werde ich mein Versprechen erfüllen.«

Und das tat sie. Sie begleitete mich und gewährte mir ihren Schutz. Jede von uns saß auf einem der Flieger, und so führte sie uns geradewegs über die Berge zur Sonnenseite. Im ersten schwachen Schimmer des Sonnenlichts sagte sie mir Lebewohl und flog eilends zurück. Da habe ich sie das letzte Mal gesehen. Und unwillkürlich hatte ich Mitleid mit ihr.

Ein wenig später fanden mich Lardis und seine Traveller, ja, und nun habe ich dir alles berichtet.«

Eine Weile später sagte Jazz: »Es gibt da noch ein paar andere Dinge, die ich dich fragen wollte. Das eine hat mit dieser Kampfkreatur zu tun, die die Zerstörungen in Perchorsk angerichtet hat. Okay, das hast du mehr oder weniger bereits erklärt – dass es Lesks Krieger war – aber da ist noch mehr. Was war mit der riesigen Fledermaus, dem Wolf und dem ... Ding im Tank?«

Zek zuckte die Achseln. »Vielleicht sind die Fledermaus und der Wolf zufällig in das Tor geraten. Die Fledermaus wurde möglicherweise durch den Lichtschein der Sphäre geblendet und ist einfach hineingeflogen. Genau wie wir, konnte auch sie nicht mehr zurück. Und der Wolf war ohnehin ziemlich alt und halb blind. Und dieses Ding im Tank war ein Vampir! Wie der Zufall will, hat er unter seinen Vorfahren sowohl einen Wolf als auch eine Fledermaus gehabt. In seiner instabilen Gestalt wies er die Charakteristika beider Arten auf. Der Körper, wie er ihn bei der Gefangennahme besaß, ist typisch für die Moorvampire. Vielleicht ist er auf der Suche nach einem Wirt ins Tor geraten. Wer weiß ...«

Jazz blinzelte müde und sagte: »Ist mir zu hoch. Ich glaube zuerst, dass ich zu verstehen beginne, doch dann stimmt plötzlich nichts mehr. Ich bin wohl einfach zu müde. Deshalb nur noch eines: Was geschah mit den anderen aus Perchorsk – mit den Männern, die vor dir durch das Tor kamen?«

»Man hat mir nichts davon gesagt.« Sie verzog das Gesicht. »Khuv, dieses verlogene Schwein, hat sie überhaupt nicht erwähnt! Aber ich habe durch Karen von ihnen erfahren. Belath hat den Ersten für sich beansprucht – in seiner mutierten Gestalt ist er nun einer von Belaths Kriegern. Der andere Mann hieß Kopeler. Ich kannte ihn persönlich.«

»Ernst Kopeler, klar«, sagte Jazz. »Ein ESPer.«

Zek nickte. »Er konnte in die Zukunft sehen. Als er durch das Tor kam, entdeckten ihn Shaithis' Fledermäuse. Shaithis nahm ihn gefangen, doch bevor er dazu kam, ihn zu benutzen, erschoss sich Kopeler. Wäre ich in der Lage gewesen, in die Zukunft zu blicken, hätte ich wahrscheinlich das Gleiche getan.«

Jazz nickte zustimmend und sagte: »Es wird Zeit, dass wir runter gehen. Ich muss ja ein paar Leute noch im Gebrauch von Feuerwaffen einweisen. Und danach ... ich begehre dich sehr ... vorausgesetzt natürlich, ich schlafe nicht vorher ein!«

Er grinste – aber nur einen Augenblick lang. Wolf, der eine Weile Ruhe gegeben hatte, begann leise und tief zu knurren. Seine Ohren zuckten nervös, und dann legte er sie flach an.

»Was ...?« Zek erstarrte und sah sich überrascht um. Erst jetzt wurde Jazz bewusst, wie ruhig es geworden war. Der Nebel rollte in dichten Schwaden die Berghänge herab. Zek klammerte sich mit plötzlich weit aufgerissenen Augen an ihn.

»Was ist los?« raunte Jazz.

»Jazz«, flüsterte sie. »Oh, Jazz!« Sie hatte die Augen halb geschlossen und legte eine schlanke Hand an ihre Stirn. »Gedanken ...«, sagte sie leise.

»Wessen Gedanken?« Er hatte mit einem Mal eine Gänsehaut im Nacken und an den Unterarmen.

»Ihre!«

Erschrockene Schreie ertönten von unten her, und dann zerriss zu ihrem Entsetzen eine Explosion die Stille – eine von Jazz' Handgranaten, die er bei Lardis gelassen hatte. Ein wildes, bestialisches Heulen erklang, wie ein Urlaut aus grauer Vorzeit. »Was zum Teufel ...?« Jazz half Zek von ihrem Felsvorsprung herunter und wandte sich talabwärts.

»Nein, Jazz!«, rief sie und dann legte sie erschrocken die Hand auf ihren Mund. Weitere Explosionen erfolgten, schreckliche Schreie ertönten und harte Kommandos. Danach hörten sie ein wildes Durcheinander von Kampfgeräuschen.

»Sie haben auf uns gewartet!«, zischte Zek. »Shaithis, seine Offiziere und ein Krieger. Sie hatten sich in einer tiefen Felsspalte versteckt. Und es sind noch weitere Krieger da!«

Etwas Riesiges löste sich vom Hang ein Stück über ihrer Position. Es pulsierte im dünnen Nebel über den Baumwipfeln: ein dunkler Umriss, dessen herunterhängende Fangarme durch die Bäume gleich oberhalb fetzten. Auch von dort her ertönte nun ein Brüllen.

Jazz nahm die Maschinenpistole zur Hand und entsicherte sie ganz automatisch. »Wir müssen ihnen helfen«, sagte er. »Nein – *ich* muss eingreifen. Du bleibst hier!«

»Verstehst du denn nicht?« Sie klammerte sich fester an ihn und hielt ihn vom Gehen ab. »Es ist bereits alles vorbei! Du kannst nicht mehr helfen! Das war ein Krieger, einer von mehreren. Selbst ein Panzer hätte da keine Chance.«

Während sie noch sprach, erfolgte eine letzte dröhnende Explosion, und matter orangefarbener Feuerschein drang durch den Schleier aus dunklen Baumstämmen und Nebel. Wieder ertönten Schreie, menschliche Schreie, voller Entsetzen und aus vielen Kehlen. Dann erklang durch all diesen Lärm hindurch Shaithis' weit hallende Stimme: »Sucht sie! Sucht Lardis und die aus dem Höllenland! Aber lasst die Krieger nicht fressen! Ich bin verletzt worden, und deshalb nehme *ich* nun Rache an ihnen. Ich bin damit an der Reihe, Schmerzen zuzufügen! Sucht mir diejenigen, die ich haben will, und bringt sie her!«

»Es war also nichts mit Lardis' Verteidigungsanlagen«, ächzte Jazz.

»Er wurde in einen Hinterhalt gelockt«, schluchzte Zek. »Seine Leute hatten keine Chance. Komm, wir müssen hier weg!«

Hin und her gerissen knirschte Jazz mit den Zähnen. »*Bitte*, Jazz!« Zek zerrte an ihm. »Wir müssen unser eigenes Leben retten – falls uns das gelingt.«

Nach unten zu gehen war unmöglich, also mussten sie sich nach oben wenden. Doch ...

Bevor sie mehr als zwei Schritte getan hatten, hörten sie von unten her schweres Atmen und Krachen im Gebüsch. Blass geworden zogen sich Zek und Jazz in den tieferen Schatten direkt an der Felswand zurück und sahen sich an. Eine Gestalt kam durch das Gestrüpp nach oben geklettert, zog sich von Stamm zu Stamm zu ihnen herauf. Jazz flüsterte in Zeks Ohr: »Einer der Traveller?«

Sie hatte die Augen halb geschlossen und konzentrierte sich stark. Das Schnaufen kam näher und klang irgendwie verängstigt, einem Schluchzen nahe.

Jazz dachte: *Das muss einer der Traveller sein!*

Er ließ die stolpernde Gestalt näher kommen, streckte plötzlich den Arm aus und packte zu. Im gleichen Moment hörte er Zek warnend zischen: »Nein, Jazz, es ist ...«

Karl Vyotsky!

Vyotsky, der seine Chance zur Flucht gesehen hatte, oder auch nur einfach vor den Schrecken floh, die sich unten abspielten.

Die beiden Männer erkannten sich im gleichen Augenblick. Die Augen fielen ihnen fast aus dem Kopf. Vyotsky blieb der Mund offen, doch im nächsten Moment griff er nach seiner Waffe und holte tief Luft, um einen lauten Warnschrei auszustoßen – doch den brachte er nicht über die Lippen. Jazz schlug ihm den Kolben seiner MP an den Hals, versuchte, einen Tritt anzubringen, verfehlte den anderen und versetzte ihm dafür einen kräftigen Faustschlag ins Gesicht. Vyotskys Kopf flog nach hinten, und er verlor das Gleichgewicht und stürzte – möglicherweise besinnungslos – ins nebelfeuchte Gestrüpp. Der Bodennebel verschluckte ihn, als er abwärts außer Sicht rutschte.

Jazz und Zek lauschten mit angehaltenem Atem und wild klopfenden Herzen. Sie hörten jedoch nur die heiseren, nicht enden wollenden Schreie von unten her, dazu lautes Schniefen und Knurren und Reißen. So kletterten sie hastig weiter.

Sie zwangen ihre schmerzenden Muskeln zu immer weiterer Anstrengung, erreichten den kuppelförmig gewölbten Oberteil des Felsmassivs, rannten durch meterhohe Nebelschwaden und dichtes Unterholz, bis sie zuerst ebeneren Boden erreichten und dann wieder klettern mussten. Sie wagten nicht, laut und frei zu atmen, zwangen sich nur immer weiter vorwärts und aufwärts durch den Wald. Der Lärm von unten her wurde schwächer, Baumbestand und Nebel dünner.

»Ein Vampirnebel!«, keuchte Zek schließlich. »Sie rufen ihn hervor. Frag mich nicht, wie. Ich hätte es wissen müssen, hätte ihre Gedanken wahrnehmen müssen! Aber sie wissen ja von mir und haben sich abgeschirmt. Ich glaube, Wolf hat sie wahrgenommen. Oh – wo ist er eigentlich?«

Sie hätte sich keine Gedanken machen müssen, denn das Tier

folgte ihr wie ein Schatten. »Quatsch nicht!«, grollte Jazz. »Rauf mit dir!«

»Aber ich hätte sie wahrnehmen können und alle warnen, wenn ich nicht so müde gewesen wäre! Und wäre ...«

»Wärst du nicht abgelenkt gewesen? Du bist auch nur ein Mensch, Zek, also mach dir keine Vorwürfe! Und wenn du jemandem die Schuld geben willst, dann mir!« Jazz zerrte sie hoch auf einen schlüpfrigen Vorsprung in der Schieferwand. Sie waren über den Waldgürtel hinausgeklettert und standen nun am Fuß der großen Berge. Den Nebel hatten sie unter sich zurückgelassen, und so konnten sie im Süden am Horizont das letzte schwache Glühen der untergegangenen Sonne erkennen. Die Nacht brach an, und ab jetzt gab es nirgendwo mehr Sicherheit für sie. Wenigstens vermochten sie nun im Sternenschein ihren Weg besser zu erkennen.

Der Vorsprung war breit genug und zog sich, leicht nach außen geneigt, steil an der Felswand hoch. Dumpf ertönten immer noch Schreie von unten aus dem dichten Nebel, doch sie kamen nun seltener. Am Deutlichsten war das laute Trompeten der ungeheuren Krieger zu hören, mit dem sie sich wohl untereinander verständigten. Dann ...

Zek schreckte hoch und atmete stoßweise und rau, von Angst erfüllt. »Vyotsky ... er kommt!«, ächzte sie. »Er verfolgt uns – und Shaithis kommt gleich hinterher!«

»Sei leise!« Jazz packte und schüttelte sie. Dann lauschten und beobachteten beide nur noch. Unten am Rand der Baumgrenze teilten sich die Nebelschwaden, und Vyotsky kam in Sicht. Er sah sich nach allen Seiten um, zum Glück blickte er jedoch nicht nach oben. Dann schritt er auf die Felskuppel zu. Vielleicht glaubte er, sie seien dort herumgelaufen. Das wäre möglicherweise nicht das Schlechteste gewesen. Aber auf ihrem Felsvorsprung konnten sie wenigstens nicht überrascht werden.

Jazz zielte probeweise mit der MP auf Vyotsky, ließ sie aber stirnrunzelnd wieder sinken. »Auf die Entfernung kann ich nicht sicher sein, ihn zu treffen«, flüsterte er. »Diese Dinger sind nur für den Nahkampf geeignet, für Straßenkämpfe beispielsweise. Und man würde den Schuss weithin hören.«

Wieder teilten sich die Nebelschwaden, und die beeindruckend mächtige Gestalt Shaithis' glitt heraus. Er blickte weder nach rechts noch nach links, sondern geradewegs hoch zu den beiden Flüchtlingen. Seine Augen glühten wie winzige Feuer.

»Da sind sie!«, rief der Vampirlord und deutete auf sie. »Auf dem Vorsprung unter der Klippe! Hol sie dir, Karl! Und wenn du mein Mann sein willst, dann enttäusche mich nicht ...!«

Während Shaithis vorwärts glitt, verschwand Vyotsky unterhalb der Klippe. Jazz und Zek hörten, wie Schieferplatten abrutschten, wie Vyotsky überrascht aufschrie und anschließend fluchte. Er befand sich nun am unteren Ende des Felsbandes und hatte festgestellt, wie schlüpfrig es war.

»Beweg dich!«, befahl Jazz. »Schnell – da hinauf! Und bete darum, dass dieses Felsband irgendwo hin führt. Gleich wohin!« Doch falls Zek wirklich betete, erhielt sie keine Hilfe von weiter oben.

Wo die Klippe einen Knick bildete, verengte sich der Vorsprung auf etwa einen halben Meter. Im Knick hatte sich durch Verwitterung eine frei stehende Felsnadel gebildet, die über schwindelnder Höhe aufragte. Zwischen ihr und der Rückwand hatte sich Geröll angesammelt, das auch den Boden der sich dahinter öffnenden Höhle bedeckte.

Die Sterne schimmerten auf den Vorsprung herab, doch in der Höhle herrschte pechschwarze Dunkelheit.

Auch Shaithis befand sich nun auf dem Felsband, und seine Kommandos dröhnten zu ihnen herauf: »Karl, ich will sie lebend haben! Die Frau, weil sie einiges für mich tun kann, den Mann, weil er mir einiges getan hat!«

Jazz schob sich den schmalen Vorsprung entlang auf die Felsnadel und die dahinter liegende Höhle zu. Er fragte Zek: »Warum hat Shaithis nicht mehr Helfer herbeigerufen?«

»Vielleicht ist er sicher, sie nicht zu benötigen«, stöhnte sie. Dabei trat sie auf eine lose Schieferplatte und rutschte mit einem Fuß ab. Einen Sekundenbruchteil später hing ihr gesamter Unterleib über dem Abgrund, während Jazz nach ihrer Hand griff. Er fiel auf ein Knie nieder und fasste mit der freien Hand nach dem Felsen, um Halt zu suchen. In dem Augenblick, als das gesamte Gewicht der jungen Frau an seinem Arm zu zerren begann, schlossen sich die Finger seiner anderen Hand um eine Baumwurzel.

Zeks einer Ellbogen ruhte noch auf der Felskante, doch ansonsten hing sie frei an Jazz' Hand über dem Abgrund. Sie schluchzte verzweifelt.

»Zieh dich hoch«, ächzte Jazz durch zusammengebissene Zähne. »Mach dich nicht so schwer. Die Ellbogen, Mädchen, die Ellbogen!«

Sie befolgte seinen Befehl und schob sich auf das Felssims zurück.

Er packte sie am Gürtel und zog sie nicht elegant aber effektiv hoch. »Auf alle viere!«, kommandierte er schwer atmend. »Versuch nicht, aufzustehen, sonst rutscht du wieder ab! Wir müssen nur an dem Felsen vorbei!« *Und dann?* Er weigerte sich, den Gedanken weiterzuspinnen.

Endlich kroch Zek auf das Geröll am Höhleneingang und blieb erschöpft mit dem Gesicht nach unten liegen, wobei sie die Finger um Steine krallte, als wolle sie sich immer noch festhalten. Jazz bückte sich, umfasste sie und zog sie auf die Beine. »Wir müssen in Deckung gehen«, raunte er, »sonst ...«

Hinter ihnen ertönte ein vernehmliches Knirschen.

Jazz drehte sich halb um. Vyotsky stand auf dem Felsband, die Lippen zu einem hämischen Grinsen verzogen, und zielte mit seiner MP auf das Paar vor ihm.

Von weiter hinten grollte Shaithis: »*Lebendig!* Hörst du, Karl?«

Vyotsky riss die Augen auf. Er sah sich nach Shaithis um.

Diese Gelegenheit nutzte Jazz, um seine MP auf Vyotsky zu richten und abzudrücken. Die Waffe ratterte los, und jaulende Querschläger rissen Splitter aus der Felswand, die Vyotsky wie Metallwespen ins Gesicht surrten. Instinktiv schoss er zurück, und ein Glückstreffer riss Jazz die MP aus der Hand und schickte sie sich überschlagend in den Abgrund. Jazz taumelte gegen die Felsnadel und hielt sich daran fest, sonst wäre er mitgerissen worden.

Zek klammerte sich an ihn, und so standen sie hilflos da, als eine ruhige, leise Stimme aus dem Schatten der Höhle hinter ihnen erklang: »Kommt hier herüber!«

Eine Gestalt stand im Höhleneingang: hoch gewachsen, schlank, in einen Umhang gehüllt. Sie trug eine goldene Maske auf dem Gesicht, deren starre Züge im Sternenschein schimmerten.

Jazz schnappte nach Luft, doch ...

»Schnell!«, warnte die Gestalt. »Wenn ihr am Leben bleiben wollt!«

»Stehen bleiben!«, schrie Vyotsky, doch Jazz und Zek traten bereits zu der dunklen Gestalt hinüber, die ihnen ein paar Schritte entgegen kam. Nun entdeckte Vyotsky sie. Wegen des Umhangs verwechselte er den Neuankömmling jedoch zuerst mit einem von Shaithis' Offizieren.

Der Fremde streckte ungeduldig eine Hand nach dem Paar aus und öffnete dabei seinen Umhang, als wolle er sie darunter verbergen. Er zog die beiden zu sich heran ...

So viel sah Vyotsky, doch im nächsten Augenblick ... blinzelte der Russe verwirrt und rieb sich anschließend die Augen. Denn sie waren weg, alle drei, vor seinen Augen verschwunden! Aber sie waren nicht in die Höhle hineingegangen!

Eine kräftige Hand legte sich auf Vyotskys Schulter, und der Russe erstarrte. Shaithis' düstere Stimme raunte in sein Ohr: »Und wo sind sie? Hast du sie mit deinen Schüssen getroffen? In deinem Interesse hoffe ich, dass du sie nicht getötet hast!«

Vyotsky blickte sich nicht um, sondern starrte weiterhin verblüfft in die tiefe Dunkelheit der Höhle.

»Also?« Shaithis Finger gruben sich in Vyotkys Schulter.

»Ich ... habe sie nicht getroffen, nein«, stotterte der Russe und schüttelte den Kopf. »Da war noch jemand! Ein Mann in einem

Umhang ... und mit einer Maske. Er kam heraus und ... nahm sie mit!«

»Nahm sie mit? Ein Mann mit einem Umhang und ...?« Shaithis' heißer Atem traf Vyotskys Hals. »Mit einer Goldmaske vielleicht?«

Jetzt blickte Vyotsky ihn an – und schrak augenblicklich vor dem schrecklichen Anblick zurück, der ihm entgegensah. »Ja ... ja! Er kam ... und war wieder weg. Und sie mit ihm!«

»Ahhh!«, zischte Shaithis. »Der Herr!« Seine Finger schnappten mit der Kraft eines Schraubstocks zu und zerquetschten Vyotskys Schulter beinahe. Einen Moment lang glaubte der Russe, der Wamphyri-Lord wolle ihn von der Klippe stoßen.

»Es ... es war nicht meine Schuld!«, stammelte er. »Ich ... fand sie und folgte ihnen. Vielleicht sind sie dort in der Höhle? Alle drei?«

Shaithis' Nasenflügel bebten, als er witternd den Kopf vorstreckte. »Nein«, sagte er nach einer Weile. »Nichts. Niemand. Du hast versagt.«

»Aber ...«

Shaithis ließ ihn los. »Ich werde dich nicht töten, Karl! Dein Geist ist jämmerlich, aber dein Fleisch ist stark. Und starkes Fleisch kann man in der Burg von Shaithis von den Wamphyri immer gut gebrauchen!« Er wandte sich ab. »Folge mir hinunter! Und lass dich warnen: Versuche nicht, wegzulaufen! Denn wenn du das ein zweites Mal versuchst, werde ich sehr, sehr böse! Dann werde ich dich an meinen Lieblingskrieger verfüttern. Alles, bis auf dein zuckendes Herz. Das werde ich selbst verspeisen!«

Vyotsky sah ihm nach, als er hinabzusteigen begann, knirschte mit den Zähnen und hob langsam seine Maschinenpistole.

Ohne zurückzublicken grollte Shaithis: »Ja, tu es, Karl. Dann werden wir sehen, wem von uns beiden das noch wehtun wird.«

Der verkrampfte Ausdruck auf dem Gesicht des Russen entspannte sich ganz langsam. Wie konnte man Wesen wie dieses bekämpfen? Welche Hoffnung gab es, etwas wie Lord Shaithis wirklich zu besiegen oder auch nur ernsthaft zu verwunden? Er atmete tief durch, sicherte seine Waffe und schritt zögernd hinter dem anderen her den Sims hinab.

Drunten im Wald heulte ein Wolf klagend – Zeks Wolf, der nun wusste, dass seine Herrin fort war, weit weg von ihm. Er hob den Kopf und heulte erneut aus voller Kehle. Dann schnupperte er aufmerksam und blickte zu den Bergen auf – in Richtung Nordwest. Dort befand sie sich, ja! Dorthin musste er ziehen.

Nachtgrau huschte der Wolf durch den Bergwald. Zwei Gestalten kamen auf ihrem Weg bergab an ihm vorbei. Er zog die Lefzen hoch und entblößte das mächtige Gebiss. Doch er verursachte keinen Laut. Die Gestalten verschwanden im Nebel zwischen den Baumstämmen. Wolf ließ sie ziehen und trabte weiter. Der Sirenenruf seiner Herrin lockte ihn über die Berge ...

BRIAN LUMLEY

im Festa Verlag

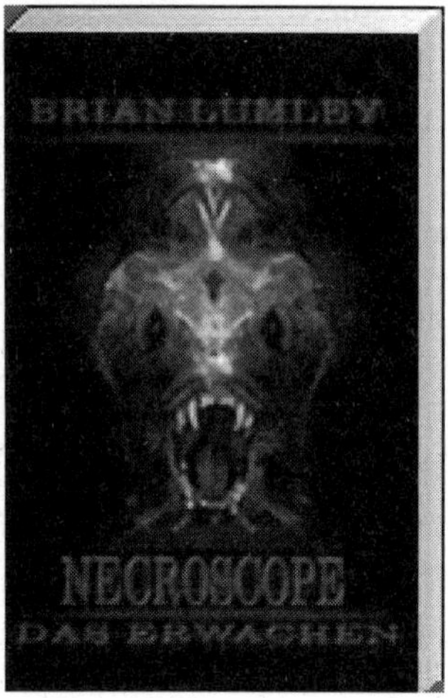

NECROSCOPE
Die ultimative Vampirsaga

DREAMLAND-SAGA
Dark Fantasy in vier Bänden

Brian Lumley wurde 1937 in England geboren, wo er nach Aufenthalten in den USA, Italien, Deutschland, Frankreich, Zypern, Malta und einem Dutzend griechischer Inseln heute wieder lebt. Seit er 1981 seine Militärkarriere beendete, lebt er als freier Schriftsteller. Er ist verheiratet.
Seine ersten Veröffentlichungen standen noch ganz unter dem Einfluss H. P. Lovecrafts, dem modernen Meister der fantastischen Literatur. Am erfolgreichsten wurde die 13-teilige Serie *Necroscope.* Mittlerweile hat der Bestsellerautor etwa 50 Bücher veröffentlicht, überwiegend Horror- und Dark Fantasy-Romane, die alle für eine Veröffentlichung im Festa Verlag vorgesehen sind. Aktuelle Informationen findet man im Internet unter *www.BrianLumley.com* oder *www.Foltom.de.*